Dear Customer,

Congratulations! By choosing the IFB Microwave Oven, you have entered the world of smart cooking.

IFB ovens give you a wide range of cooking - right from everyday cooking to those for special occasions. You can now spend MORE time with your FRIENDS and FAMILY, yet serve them steaming hot food.

To give you a wide variety of choice in cooking, IFB presents 100 recipes, from Starters to Desserts, from Veg to Non Veg, from Desi to Continental, all from the International Award Winner, Cookery Expert, Mrs. Nita Mehta.

So, go ahead and try out these recipes! Remember, your feedback is very precious for us, hence do not hesitate in writing your views on our product and recipes and your entire experience in being associated with us.

Heartiest Congratulations once again!

In an endeavour of making life easy…

PRESIDENT & CEO
IFB Industries Limited

Nita Mehta's
IFB Microwave
Cookbook

Nita Mehta

B.Sc. (Home Science), M.Sc. (Food and Nutrition)
Gold Medalist

SNAB
Publishers Pvt Ltd

Nita Mehta's

IFB Microwave
Cookbook

© Copyright 2003-2005 SNAB Publishers Pvt Ltd

WORLD RIGHTS RESERVED: The contents - all recipes, photographs and drawings are original and copyrighted. No portion of this book shall be reproduced, stored in a retrieval system or transmitted by any means, electronic, mechanical, photocopying, recording or otherwise, without the written permission of the publishers.

While every precaution is taken in the preparation of this book, the publishers and the author assume no responsibility for errors or omissions. Neither is any liability assumed for damages resulting from the use of information contained herein.

TRADEMARKS ACKNOWLEDGED: Trademarks used, if any, are acknowledged as trademarks of their respective owners. These are used as reference only and no trademark infringement is intended upon.

Reprint 2005

ISBN 81-7869-067-5

Food Styling & Photography: SNAB

Layout and laser typesetting:

 National Information Technology Academy
3A/3, Asaf Ali Road
New Delhi-110002
☎ 23252948

Published by:

 **SNAB**
Publishers Pvt Ltd
3A/3 Asaf Ali Road
New Delhi-110002

The Best of Cookery Books

Editorial and Marketing office:
E-159, Greater Kailash-II, N.Delhi-48
Tel: 91-11-23250091, 23252948, Fax: 29225218
Tel: 91-11-29214011, 29218727, 29218574, 29229558
E-Mail: nitamehta@email.com
snab@snabindia.com
Website: http://www.nitamehta.com
Website: http://www.snabindia.com

Printed at:
Standard Press India Private Limited

Price: Rs. 495/-

INTRODUCTION

The microwave helps today's women facing time constraints, to prepare a variety of favourite delicacies in a faster and a simpler manner. It leaves her with more time to spend with the family. Microwave makes the cooking simpler as the food does not stick or burn and hence it does not need constant stirring. The food is cooked and served in the same dish, so there is less washing up to do. This efficient equipment not only reheats food but also boils, bakes, thaws and skewers, making cooking interesting and enjoyable. Microwave with its multiple advantages not only makes cooking much more fun, but also helps retain the food's nutritive value.

Cooking with microwave energy, is different from the conventional cooking. Microwaves are a form of high frequency electromagnetic waves which penetrate the food and execute the molecules inside, to vibrate at high speed. This causes friction and heat is produced thereby cooking the food very fast. The vitamins, the natural aroma and juices are retained, which invariably tends to get lost in conventional cooking. As the food is cooked in its own juices, very little oil or fat is used in cooking.

The recipes have been adapted to suit the Indian palate. This book covers a range of vegetarian and non vegetarian recipes, starting from starters to soups to main course Indian, Continental, Chinese and Thai dishes. A few desserts, some which turn out even better in a microwave than the conventional cooking, like our favourite "Gajar ka Halwah" have been made very simple to cook in a microwave. Look forward to these wonderful recipes and share it with those you love and care about!

Nita Mehta

Contents

Introduction   5
Basics of Microwave Cooking   8
Microwave Tips   9
Interesting Uses of a Microwave   13
Utensils used in the Microwave Oven   15

Snacks & Starters   16

VEGETARIAN

Bean Squares   16
Dakshini Crispies   20
Chutney Submarine   24
Tomato-Kaju Idli   26
Pav Bhaji   28
Sesame Gold Coins   31
Italian Mushroom Caps   32
Paneer Tikka   34
Instant Khaman Dhokla   38

NON-VEGETARIAN

Chicken Tikka   19
Methi Mahi Tikka   23
Spicy Seekh Pizza   25
Shami Kebab   37
Crispy Chicken   40
Chicken Rolls   42
Chicken Sandwiches   43

Soups   44

VEGETARIAN

Corn Minestrone   44
Capsicum Soup   47

NON-VEGETARIAN

Chicken Mulligatawny   46
Sweet Corn Soup   48

Indian Curries   49

VEGETARIAN

Palak Paneer   49
Khumb Matar Miloni   50
Carrot Kofta Curry   53
Ghiya-Channe ki Dal   61
Makai-Mirch Salan   63
Water Melon Curry   65
Mixed Veggie Curry   68
Special Sambar   72
Khoya Matar   73
Paneer Pista Haryali   78
Paneer Makhani   80
Stuffed Tomatoes   83

NON-VEGETARIAN

Murg Haryali   52
Butter Chicken   54
Punjabi Chicken Curry   56
Chicken Naveli   57
Chicken Degi   58
Mutton Koftas in Creamy Sauce   60
Pista Murg   66
Murg Lahori   70
Badami Seekh Curry   74
Goan Chicken Curry   76
Murg Maskaawala   77
Dum Murg Kali Mirch   79
Chicken Chettinad   82

Indian Dry & Masala 84

VEGETARIAN

Achaari Khumb Mirch 86
Paneer Hara Pyaz 92
Dal Maharani 93
Anjeeri Gobhi 94
Achaari Bhindi 97
Baigan ka Bharta 100
Crispy Achaari Mirch 101
Bharwan Baingan 102
Mili-Juli-Subzi 104
Grilled Besani Subzi 107

NON-VEGETARIAN

Murg Masala Korma 84
Murg Kadhai Waala 87
Palak Keema 88
Tikka Masala 89
Chicken Bharta 90
Murg Amravati 96
Chicken Haldighati 98
Murg Jalfrezi 106
Mutton Keema 108

Rice 109

VEGETARIAN

Subz Pullao 110

NON-VEGETARIAN

Coconut Murg Pulao 109

Chinese & Thai 112

VEGETARIAN

Honey Chilli Veggies 112
Paneer in Hot Garlic Sauce 114
Carrot Pepper Rice 118
Corn in Soya Sauce 121
Broccoli in Butter Sauce 123
Glass Noodles with Sesame Paste 125
Veggie Thai Red Curry 127

NON-VEGETARIAN

Garlic Chicken 115
Chicken in Hot Garlic Sauce 116
Dry Chilli Chicken 118
Stir fried Szechuan Chicken 120
Chicken in Tomato Butter Sauce 124
Thai Green Curry 128

Continental & Baked Dishes 130

VEGETARIAN

Vegetable au Gratin 130
Spinach with Cheese 132
Stuffed Tomatoes 133
Macaroni Alfredo 135
Hungarian Paneer 140
Bean Casserole 142
Rice-Vegetable Ring 143

NON-VEGETARIAN

Chicken Stroganoff 137
Chicken Potato Pie 138
Chicken & Sweet Corn 139

Desserts & Cakes 144

WITHOUT EGGS

Gajar ka Halwa 144
Phirni 147
Lychee Pearls in Shahi Kheer 150
Eggless Cake with Mocha icing 156

WITH EGGS

Baked Cheese Cake 149
Vanilla Cake 151
Chocolate Cake 151
Coconut Pudding 152
Creme Caramel 154
Pina Orange Dome 158
Chocolate Ruffle 160

Basics of Microwave Cooking

Timing: Set the timings carefully, foods can become hard and leathery, if overcooked. It is always better to undercook than to overcook in a microwave. The larger the volume of food there is, the more timing is needed to cook it. 4 potatoes cook in 6 minutes, whereas 8 potatoes cook in about 9 minutes. Therefore, if the quantity in a recipe is changed, an adjustment in timing is necessary. When doubling a recipe, increase the cooking time 50% approximately and when cutting a recipe in half, reduce time by about 40%.

Standing time: Food continues to cook for sometime, even after it is removed from the microwave. For example, the cake cooked in a microwave looks very moist and undone when removed from the oven after microwaving it for the specified time, but after it is left aside for 8-10 minutes, it turns perfect.

Covering: Covers are used to trap steam, prevent dehydration, speed cooking time, and help food retain it's natural moisture. When covering with paper napkins, a good microwave cooking practice, be sure to use a double width that will enable you to tuck the paper under the bottom of the cooking dish. Otherwise, it will tend to rise off the dish due to the air movement. A handy idea to keep in mind; a heatproof china plate is a good substitute for a lid. For shorter cooking time (within 6 minutes) cling films can also be used.

Stirring: If necessary, stir from the outside to the center because the outside area heats faster than the center when microwaves are in use. Stirring blends the flavours and promotes even heating. Stir only as directed in the recipes, constant stirring is never required, frequent stirring is rare.

Arrangement: The microwaves always penetrate the outer portion of food first, so food should be arranged with the thicker areas near the edge of the dish and the thinner portions near the center. Chicken/Mutton should be so placed that the meaty part is towards the outside. Food such as tomatoes, potatoes and corn should be arranged in a circle, rather than in rows.

Various Herbs & Spices

	ENGLISH NAME		HINDI NAME
❶	Sesame Seeds	❶	Til
❷	Mustrad Seeds	❷	Rai, Sarson
❸	Melon Seeds	❸	Magaz
❹	Coriander Seeds	❹	Saboot dhania
❺	Coriander Seeds, Ground	❺	Dhania powder
❻	Mango Powder	❻	Amchoor
❼	Red Chilli Powder	❼	Lal Mirch
❽	Cumin Seeds, White	❽	Jeera
❾	Carom Seeds	❾	Ajwain
❿	Fennel	❿	Saunf
⓫	Cumin Seeds, Black	⓫	Shah Jeera
⓬	Garam Masala - A Spice Blend	⓬	Garam Masala
⓭	Asafoetida	⓭	Hing
⓮	Saffron	⓮	Kesar
⓯	Fenugreek Seeds, Dried	⓯	Kasoori methio
⓰	Fenugreek Seeds	⓰	Methi dana
⓱	Pomegranate Seeds, Dried	⓱	Anardana
⓲	Nigella Seeds	⓲	Kalaunji
⓳	Turmeric	⓳	Haldi
⓴	Cloves	⓴	Laung
㉑	Nutmeg	㉑	Jaiphal
㉒	Peppercorns	㉒	Saboot kali mirch
㉓㉔	Cardamom Pods	㉓㉔	Elaichi
㉕	Mace	㉕	Javitri
㉖	Cinnamon	㉖	Dalchini
㉗	Fresh Green Chillies	㉗	Hari mirch
㉘	Red Peppercorns, Dried	㉘	Sukhi lal mirch
㉙	Ginger	㉙	Adrak
㉚	Garlic	㉚	Lahsun
㉛	Coriander, Fresh	㉛	Hara dhania
㉜	Bay Leaves	㉜	Tej patta
㉝	Curry Leaves	㉝	Kari patta
㉞	Mint	㉞	Poodina

Microwave Tips

- Never over-cook food as it becomes tough and leathery. Give the dish a little standing time before you test it, to avoid over cooking.

- Never pile food on top of each other. It cooks better, evenly and quickly when spaced apart.

- Food cooks better in a round container than in a square one. In square or rectangular bowls, the food gets overcooked at the corners.

- Do not add salt at the time of starting the cooking as it leads to increase in the cooking time.

- Do not add more water than required, however a little water must be added to prevent dehydration of the vegetables. When the vegetables get dehydrated, there is a loss of natural juices as well. But addition of extra water increases the cooking time.

- Do not deep fry in a microwave (the temperature of oil cannot be controlled).

- Do not cook eggs in their shells (pressure will cause them to explode).

- Do not cook & reheat puddings having alcohol (they can easily catch fire).

- Do not use containers with restricted openings, such as bottles.

- Use deep dishes to prepare gravies, filling the dish only ¾ to avoid spillage.

- Do not use aluminium foil for covering dishes in the microwave mode. Do not reheat foods (sweets like *ladoos, burfi* etc.) with silver sheet, as it leads to sparking.

- When using the convec mode put the dish on the wire rack to get even baking.

- Always preheat the oven when you want to use the convec mode. Grilling does not need preheating.

- When making tikkas or other tandoori delicacies cover the plate beneath the rack with aluminiun foil to collect the drippings.

Interesting Uses of a Microwave

- Making ghee. Keep 1½ - 2 cups malai (milk topping) in a big glass bowl and microwave on high for 15-20 minutes to get desi ghee without burning your kadhai (wok). Stir once or twice inbetween.

- Blanching almonds to remove skin. Put almonds in a small bowl of water and microwave for 3 minutes or till water just starts to boil. After the water cools, the almonds can be peeled very easily.

- Freshening stale chips, biscuits or cornflakes. Place the chips or biscuits in a napkin, uncovered, for about 1 minute per bowl or until they feel warm. Wait for a few minutes to allow cooling and serve.

- Boiling (actually microwaving) potatoes. Wash potatoes & put them in a polythene bag. Microwave high for 5 minutes for 4 medium potatoes.

- Making khatti mithi chutney. Mix 1 tbsp amchur, 3 tbsp sugar, some water along with spices in a glass bowl. Microwave, stirring in between.

- Warming baby's milk bottle. Do check the temperature of the milk on your inner wrist. The bottle will not become hot, while the milk will.

- Softening too-hard ice cream, cream, cheese and butter.

- Making dry bread crumbs from fresh bread. Crumble the slice of bread and microwave the bits of slices for 2-3 minutes. Mix once and microwave further for another minute or two. Give some standing time to the moist bread to dry out and then grind in a mixer to get crumbs.

- Drying herbs. Fresh parsley, dill (soye), mint (poodina), coriander (dhaniyan), fenugreek greens (methi) — all greens can be dried in a microwave, preserving the green colour. Give them some standing time to turn dry. Use them in raitas and curries.

- Melting chocolate, butter, jam, honey, etc. Dissolving gelatine.

- Sterilizing jars for storing home made jams and pickles.

- Freshening stale bread by placing 2 slices between the folds of a paper and microwaving for 20 seconds. It turns absolutely soft and the stale bread becomes perfect for sandwiches.

- To roast 1 tbsp of cashews spread on a microproof plate and microwave for 1 minute to get golden roasted cashews.
- To roast papad place 2 papads on a paper napkin and microwave for 1½ minutes. Turn side once inbetween.
- To blanch 4 tomatoes, put a cross at the stem end of each tomato. Place tomatoes on a microproof plate and microwave for 2 minutes. Peel after they cold down.
- To cook corn, wash a corn on the cob and place in a plastic bag microwaver for 2-3 minutes to get soft corn.
- To boil ½ kg arbi wash and put in a plastic bag. Microwave for 11 minutes, turning once inbetween.

Utensils used in the Microwave Oven

MODE	CAN USE	DO NOT USE
Microwave Round or oval dishes are better for this mode as the corners of the square dish absorb more microwave energy or rays and hence food at the corners tends to get over cooked.	China Pottery (earthenware) Heatproof glass dishes like pyrex, borosil etc. Paper and cloth napkins as covers Plastic or cling wrap can be used as cover for short durations. Wooden skewers and toothpicks Plastic or polythene cooking bags.	China or any other utensil with gold or silver lining. Very delicate glass dishes Metal cake tins or any other metal Aluminium foil as covers Metal skewers
Convection In this mode there are no microwave rays or microwave energy. The oven becomes a conventional oven when put on this mode so all utnesils which go in the regular oven work well in the microwave oven when set on the convection mode.	Metal cake tins or any other metal utensil Heat proof glass dishes like pyrex of borosil Metal skewers Aluminium foil as covers	Delicate glass dishes which are not heatproof Wooden skewers Paper and cloth napkins or plastic wraps
Grill In this mode there are no microwaves so all heatproof utensils work well.	All as given for convec mode	All as given for convec mode
Combination **(Micro+Oven) (Micro+Grill)** Utensils must be microproof as well as heatproof for both the combination modes	Heat proof glass dishes like pyrex or borosil Use a glass microproof and heatproof glass plate as cover	Metal tins China Wooden and metal skewers Aluminium foil, paper or cloth napkins or plastic wrap.
Combination **(Grill+Oven)** Utensils must be heatproof	All as given for convec mode	All as given for convec mode

Bean Squares

A quick Mexican starter - crackers topped with cheesy beans and roasted peanuts.

Serves 4

8 cream cracker biscuits

½ cup grated cheese

½ cup boiled rajmah (red kidney beans)

2 tbsp tomato sauce

½ tsp salt, ¼ tsp red chilli powder

2 green chillies - deseeded, finely chopped

½ tsp oregano, ½ tsp salt

a few roasted peanuts

❶ Mix cheese, boiled rajmah, tomato sauce, salt, red chilli powder and chopped green chillies.

❷ Mix gently and spread 1 tbsp full of the filling on each biscuit in a heap, leaving the edges clean.

❸ Place a paper napkin on the glass plate in the microwave.

❹ Keep all the cream cracker biscuits together on it and microwave at 60% power for 3 minutes.

❺ Serve each biscuit with a blob of sour cream & then top with a peanut.

SOUR CREAM

2 tbsp fresh cream - chilled

½ cup thick yogurt (dahi) - hang for 15 minutes and squeeze lightly

½ tsp lemon juice, ¼ tsp salt, or to taste

¼ tsp pepper, preferably white pepper

❶ Beat curd till smooth. Gently mix lemon juice, cream, salt and pepper.

❷ Keep in the refrigerator till serving time.

व्यक्ति: 4

8 क्रीम क्रेकर बिस्कुट

½ कप कद्दुकस किया हुआ चीज़

½ कप उबला हुआ राजमॉ

2 बड़े च. टमॉटो सॉस

½ छोटा च. नमक, ¼ छोटा च. लाल मिर्च

2 हरी मिर्च - बीज निकाल दें और मिर्च बारीक काट लें

½ छोटा च. ऑरिगैनो, ½ छोटा च. नमक

½ कुछ भूनी हुई मूंगफली

❶ चीज़, उबला हुआ राजमॉ, टमॉटो सॉस, लाल मिर्च पाउडर और कटी हुई हरी मिर्च मिलायें।

❷ किनारे छोड़कर, 1 बड़ा च. भरावन प्रत्येक बिस्कुट के ऊपर रखें।

❸ पेपर नेपकिन को माईक्रोवेव की ग्लॉस प्लेट पर रखें।

❹ सभी क्रीम क्रेकर बिस्कुट इस पर रखें और 3 मिनिट के लिए 60% माईक्रोवेव पॉवर पर रखें।

❺ प्रत्येक बिस्कुट पर सॉर क्रीम डालें और भूनी हुई मूंगफली ऊपर सजाकर परोसें।

सॉर क्रीम

2 बड़े च. ताज़ा क्रीम - ठण्डी

½ कप गाढ़ी दही - 15 मिनिट के लिए कपड़े में लटकाएँ और थोड़ा सा निचोड़ लें

½ छोटा च. नींबू का रस

¼ छोटा च. नमक - स्वादानुसार

¼ छोटा च. काली मिर्च, सफदे मिर्च ज्यादा अच्छी रहेगी

❶ दही को अच्छे से फेंट लें। नींबू का रस, क्रीम, नमक और काली मिर्च धीरे से मिलायें।

❷ परोसने के समय तक रेफ्रिजरेटर में रखें।

PEPPER

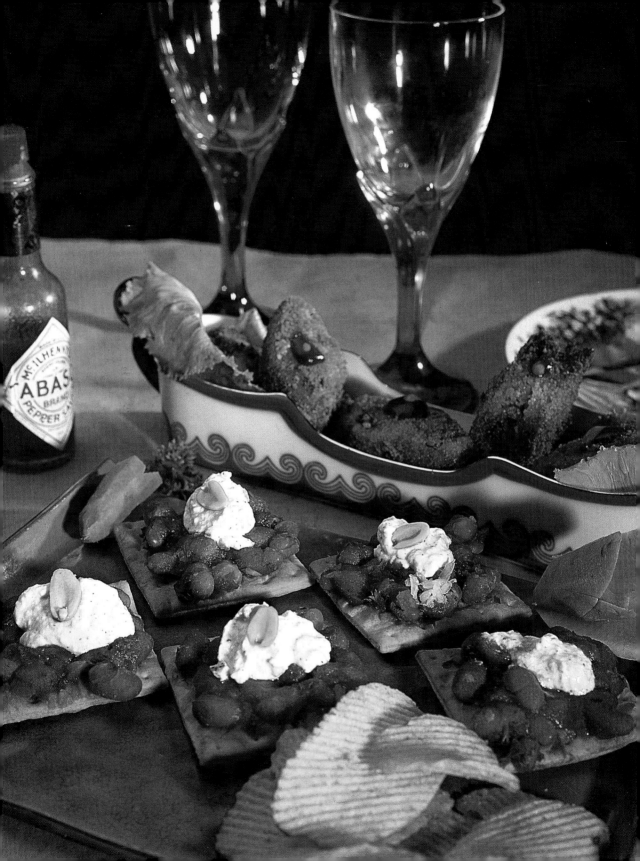

Chicken Tikka

Chunks of marinated chicken cooked in the microwave to give soft and succulent tikkas.

Serves 4

INGREDIENTS

350 gm boneless chicken - 1" pieces

some chaat masala and lemon juice

2 tbsp melted butter - to baste

MARINADE (MIX TOGETHER)

1 cup curd - hang in a cloth for 20 min

2 tbsp thick malai or cream or oil

2 tsp ginger-garlic paste

¾ tsp tandoori masala (optional)

¼ tsp black salt (kala namak)

½ tsp garam masala powder

½ tsp red chilli powder

1 tsp salt

2-3 drops of tandoori red colour

METHOD

❶ Hang curd in a muslin cloth for 20 minutes to drain out the liquid.

❷ Cut chicken into 1" pieces. Wash chicken and pat dry on a napkin.

❸ Marinate the pieces in the marinade for atleast 2-3 hours or longer and keep in the fridge till serving time.

❹ Set the microwave oven at 180°C using the oven (convection) mode and press start to preheat oven.

❺ Grease the wire rack or grill rack. Put the tikkas on the greased rack and place it in the hot oven.

❻ Re-set the preheated oven again at 180°C for 20 minutes. Cook the tikkas for 15 minutes. Spoon some melted butter on the tikkas and cook further for 5 minutes or until cooked. Remove from oven.

❼ Sprinkle chat masala & lemon juice. Serve hot.

व्यक्तिः 4

सामग्री

350 ग्राम बिना हड्डी का चिकन - 1" टुकड़ा

थोड़ा सा चाट मसाला और नींबू का रस

2 बड़े च. पिघला हुआ मक्खन – बुश करने के लिए

मेरिनेड़ (एक साथ मिला लें)

1 कप दही – 20 मिनिट के लिए कपड़े में बाँधकर लटका दें

2 बड़े च. गाढ़ी मलाई या क्रीम या तेल

2 छोटे च. अदरक-लहसुन पेस्ट

¾ छोटा च. तन्दूरी मसाला – ऐच्छिक

¼ छोटा च. काला नमक

½ छोटा च. गरम मसाला

½ छोटा च. लाल मिर्च पाउडर

1 छोटा च. नमक

2-3 बून्द तन्दूरी लाल रंग

विधि

❶ दही को मलमल के कपड़े में बाँधकर 20 मिनिट के लिए लटकाएँ और पानी निकाल दें।

❷ चिकन को 1” पीस में काट लें। धोएँ और नेपकिन पर पोंछ लें।

❸ इन पीसों को 2-3 घण्टे के लिए मेरिनेड़ में मिला कर परोसने के समय तक फ्रीज में रखें।

❹ माईक्रोवेव अॅवन को 180°C पर करके बटन दबाएँ और अॅवन को गरम करें।

❺ वॉयर रेक या ग्रिल रेक को तेल से चिकना कर लें। चिकने किये हुए रेक पर टिक्के रखें और गरम अॅवन में रख दें।

❻ दोबारा से अॅवन को 180°C पर 20 मिनिट के लिए गरम करें। टिक्के 15 मिनिट के लिए पकायें। थोड़ा सा पिघला हुआ मक्खन टिक्कों पर लगाकर 5 मिनिट या पकने तक अॅवन में रखें। अॅवन में से निकालें।

❼ चाट मसाला और नींबू का रस छिड़क दें। गरम परोसें।

Dakshini Crispies

Enjoy the South Indian style topping on crisp pieces of bread.

Serves 4

INGREDIENTS

3 bread slices
1 potato
2 tbsp suji (semolina)
½ tsp salt, or to taste
¼ tsp pepper, or to taste
½ onion - very finely chopped
½ tomato - cut into half, deseeded and chopped finely
2 tbsp curry leaves - chopped
½ tsp rai (small brown mustard seeds)

METHOD

1. Wash potato. Put in a plastic bag and microwave for 3 minutes. Peel and mash coarsely.
2. To the potato, add onion, tomato, curry leaves, salt and pepper. Mix.
3. Add the suji and mix lightly.
4. Spread potato mixture carefully on bread slices, keeping edges neat.
5. Sprinkle some rai over the potato mixture, pressing down gently with finger tips.
6. Keep the bread slices in the microwave oven on the combination mode (convec+grill) and cook for 15 minutes or till the bottom of the slice gets crisp.
7. Cut each toast into 4 triangular or square pieces. Serve with tomato ketchup or mustard sauce.

व्यक्ति: 4

सामग्री

3 ब्रेड स्लाईस
1 आलू, 2 बड़े च. सूजी
½ छोटा च. नमक - स्वादानुसार
¼ छोटा च. काली मिर्च - स्वादानुसार
½ प्याज़ - बहुत बारीक कटा हुआ
½ टमाटर - आधा काटें और बीज निकाल कर बारीक काट लें
2 बड़े च. करी पत्ते - कटे हुए
½ छोटा च. राई

विधि

1. आलू को धोएँ। प्लास्टिक बेग में रखें और 3 मिनिट के लिए माईक्रोवेव करें। छीलें और दरदरा मैश कर लें।
2. प्याज़, टमाटर, करी पत्ते, नमक और काली मिर्च को आलू के साथ मिलायें।
3. सूजी डालें और धीरे से मिलायें।
4. किनारों को छोड़कर आलू के मिक्सचर को ध्यानपूर्वक ब्रेड स्लाईस पर फैलायें।
5. थोड़ी सी राई आलू के मिक्सचर पर छिड़क दें और अंगूली से धीरे से दबा दें।
6. ब्रेड स्लाईस को ऑवन के कॉम्बिनेशन मोड (कॉनवेक+ग्रिल) पर 15 मिनिट के लिए या कुरकुरे होने तक पकायें।
7. प्रत्येक टोस्ट को 4 तिरछे या चौकोर पीसों में काटें। टमॉटो सॉस या मस्टर्ड् सॉस के साथ परोसें।

Methi Mahi Tikka

The healthy fish tikkas made more delicious with mint and fenugreek.

Serves 4-6

INGREDIENTS

500 gm boneless fish - cut into 2" cubes

3 tbsp gram flour (besan)

1 tbsp lemon juice

1ST MARINADE

2 tbsp vinegar or lemon juice

¼ tsp red chilli powder, ½ tsp salt

GRIND TO A FINE PASTE

1 tbsp mint leaves, 1 tbsp kasoori methi

1" piece of ginger, 5-6 flakes garlic

2ND MARINADE

¼ cup thick cream

½ cup curd - hang in a muslin cloth for ½ hr

3 tbsp cheese - finely grated

½ tsp green cardamom (illaichi) pd.

2 tbsp cornflour, 1 tbsp oil

3 cloves (laung) - crushed

1 tsp salt, 1 tsp red chilli powder

METHOD

❶ Rub the fish well with besan and lemon juice. Keep aside for 15 minutes. Wash and pat dry on a kitchen towel. Marinate fish with all ingredients of the 1st marinade. Keep aside ½ hour.

❷ Drain, wash & pat dry with a towel.

❸ Grind all ingredients of paste.

❹ Rub the tikkas thoroughly with the paste. Keep aside for ½ hour.

❺ Mix ingredients of 2nd marinade.

❻ Add tikka pieces to this marinade and coat well. Keep aside for 3 hrs.

❼ Brush grill rack of the oven with oil.

❽ Place the tikka pieces on it and put them in the microwave oven on the combination mode (micro+grill) and cook for 15 minutes till coating turns dry and golden brown.

व्यक्तिः 4-6

सामग्री

500 ग्राम बिना हड्डी की मछली – 2" टुकड़ों में काट लें, 3 बड़े च. बेसन

1 बड़ा च. नींबू का रस

पहला मेरिनेड

2 बड़े च. सिरका या नींबू का रस

¼ छोटा च. लाल मिर्च, ½ छोटा च. नमक

पीसकर बारीक पेस्ट बना लें

1 बड़ा च. पुदीने के पत्ते, 1 बड़ा च. कसूरी मेथी, 1" टुकड़ा अदरक, 5-6 कली लहसुन

दूसरा मेरिनेड

¼ कप गाढ़ी क्रीम

½ कप दही – ½ घण्टे के लिए मलमल के कपड़े में बाँधकर लटका दें

3 बड़े च. चीज़ – बारीक कद्दूकस करें

½ छोटा च. छोटी इलायची पाउडर

2 बड़े च. कॉर्नफ्लार, 1 बड़ा च. तेल

3 लौंग – दरदरी पीस लें

1 छोटा च. नमक, 1 छोटा च. लाल मिर्च

विधि

❶ मछली को बेसन और नींबू लगा कर 20 मिनिट के लिए अलग रखें। धोएँ और किचन के तौलिये पर पोंछें। मछली को पहले मेरिनेड की सभी सामग्री से मेरिनेट करें और ½ घण्टे के लिए अलग रखें।

❷ मेरिनेड से निकालें, धोएं और तौलिये पर पोंछ लें।

❸ पेस्ट की सभी सामग्री को पीस लें।

❹ टिक्कों पर पेस्ट लगाकर ½ घण्टे के लिए रखें।

❺ दूसरे मेरिनेड की सभी सामग्री को मिलायें।

❻ इस मेरिनेड में टिक्का पीस को 3 घण्टे के लिए रखें।

❼ अॅवन रेक को तेल से ब्रश करके चिकना कर दें।

❽ ग्रिल पर टिक्के के पीस रखें और अॅवन में कॉम्बिनेशन मोड (कॉनवेक+ग्रिल) पर 15 मिनिट के लिए ग्रिल करें। टिक्कों पर चढ़े मेरिनेड को सूखने और सुनहरे ब्राउन होने तक पकायें।

23

Chutney Submarine Picture on page 21

Mango chutney spread on a loaf of bread and topped with some salad and paneer roundels.

Serves 4-5

INGREDIENTS

1 long French bread - cut lengthwise

2 tbsp butter - softened

2 tbsp sweet mango chutney

1 cucumber - cut into round slices without peeling

2 firm tomatoes - cut into round slices

a few poodina (mint) leaves to garnish

400 gm paneer, 2 tbsp oil

¼ tsp haldi, ½ tsp chilli powder

½ tsp salt, 1 tsp chaat masala powder

METHOD

❶ Cut paneer into ¼" thick slices and then into round pieces with a biscuit cutter or bottle cover or into squares.

❷ Sprinkle paneer on both sides with some chilli powder, salt, haldi, chaat masala and oil. Grill for 10 minutes.

❸ Spread butter on the cut surface of both the pieces of french bread, as well as a little on the sides.

❹ Set your microwave oven at 180°C using the oven (convection) mode and press start to preheat oven.

❺ Place bread on grill rack in the hot oven. Re-set the preheated oven at 180°C for 12 minutes. Cook till bread turns crisp.

❻ Apply 2 tbsp chutney on the buttered side.

❼ Sprinkle some chaat masala on the cucumber and tomato pieces.

❽ Place a piece of paneer, then cucumber, then tomato and keep repeating all three in the same sequence so as to cover the loaf. Place them slightly overlapping. Insert fresh mint leaves in between the vegetables, so that they show. Serve at room temperature.

व्यक्तिः 4-5

सामग्री

1 लम्बी फ्रैंच ब्रेड - लम्बाई में काट लें

2 बड़े च. मक्खन

2 बड़े च. कच्चे आम की मीठी चटनी

1 खीरा - बिना छीले गोल स्लाईस में काटें

2 साबुत टमाटर - गोल स्लाईस में काटें

सजाने के लिए कुछ पुदीने के पत्ते

400 ग्राम पनीर, 2 बड़े च. तेल

¼ छोटा च. हल्दी, ½ छोटा च. नमक

½ छोटा च. लाल मिर्च पाउडर

1 छोटा च. चाट मसाला पाउडर

विधि

❶ पनीर को ¼" मोटे और गोल स्लाईसों में बिस्कुट कटर से या बोतल के ढक्कन से या फिर चौकोर काटें।

❷ पनीर के दोनों तरफ थोड़ी लाल मिर्च पाउडर, नमक, हल्दी, चाट मसाला और तेल छिड़क दें। 10 मिनिट के लिए ग्रिल करें।

❸ फ्रैंच ब्रेड के दोनों कटी हुई तरफ पर मक्खन लगा दें। थोड़ा सा मक्खन साईडों पर भी लगा दें।

❹ माईक्रोवेव को 180°C तापमान पर सैट करके गरम करें।

❺ गरम ऑवन के ग्रिल रेक पर ब्रेड रखें। दोबारा से गरम ऑवन को 180°C तापमान पर 12 मिनिट के लिए चलायें। कुरकुरे होने तक ब्रेड को सेक लें।

❻ मक्खन लगी साईड पर 2 बड़े च. चटनी लगायें।

❼ थोड़ा सा चाट मसाला खीरा और टमाटर के पीसों पर छिड़क दें।

❽ पनीर का पीस रखें, फिर खीरा, टमाटर और फिर इसी तरह तीनों को दोबारा लगायें और लोफ को इसी प्रकार सब्जियों से ढक दें। थोड़ा सा एक के ऊपर एक चढ़ा कर रखें। सब्जियों के बीच में ताजा पुदीने के पत्ते डाल दें जिससे देखने में अच्छा लगे।

Spicy Seekh Pizza

A quick and crisp pizza made by using readymade seekh kebabs.

Makes 2

INGREDIENTS

2 readymade chicken seekhs - cut into ¼" thick slices and then mix with 1½ tbsp oil
2 ready-made pizza bases
150 gm pizza cheese - grated (1½ cups)
½ onion - chopped, 1 tomato - chopped
1 small capsicum - chopped
½ tsp each of salt, orgeano & chilli flakes

TOMATO SPREAD

4 flakes garlic - crushed
½ cup ready made tomato puree
2 tbsp tomato sauce
¼ tsp salt, ¼ tsp pepper to taste
½ tsp red chilli powder, ½ tsp oregano

METHOD

1. To prepare tomato spread, put 2 tbsp oil, garlic, tomato puree, sauce, salt, pepper, red chilli powder and orgeano in a microproof bowl. Mix well. Microwave for 4 minutes.
2. Mix onion, capsicum, tomato, salt, pepper and orgeano in a bowl.
3. Spread tomato spread on each pizza base. Spread ½ the chopped vegetables on each base. Sprinkle ½ of the cheese on each base. Top each with ½ of the seekh slices. Sprinkle red chilli flakes on the seekhs.
4. Set microwave oven at 180°C using oven (convection) mode and press start to preheat the oven.
5. Re-set the preheated oven again at 180°C for 12 minutes. Put the pizza on the wire rack in the preheated oven & then cook for 12 minutes or more, till the base gets crisp.

बनायें: 2

सामग्री

2 रेडिमेड् चिकन सीख - ¼" मोटे स्लाईस काटकर 1½ बड़े च. तेल के साथ मिलायें
2 रेडिमेड् पीज़ा बेस
150 ग्राम पीज़ा चीज़ - कद्दूकस करें (1½ कप)
½ प्याज़ - कटा हुआ, 1 टमाटर-कटा हुआ
1 छोटी शिमला मिर्च - कटी हुई
½ छोटा च. (प्रत्येक का) नमक, ऑरिगैनो और लाल मिर्च फ्लैक्स्

टमॉटो स्प्रेड्

4 कली लहसुन - दरदरी पीस लें
½ कप रेडिमेड् टमॉटो प्यूरी
2 बड़े च. टमॉटो सॉस
¼ छोटा च. नमक, ¼ छोटा च. काली मिर्च
½ छोटा च. लाल मिर्च, ½ छोटा च. ऑरिगैनो

विधि

1. टमॉटो स्प्रेड तैयार करने के लिए 2 बड़े च. तेल, लहसुन, टमॉटो प्यूरी, टमॉटो सॉस, नमक, काली मिर्च, लाल मिर्च पाउडर और ऑरिगैनो माईक्रोप्रूफ बाउल में डालें। अच्छे से मिलाकर 4 मिनिट के लिए माईक्रोवेव करें।
2. प्याज़, शिमला मिर्च, टमाटर, नमक, काली मिर्च और ऑरिगैनो एक अलग बाउल में मिला लें।
3. प्रत्येक पीज़ा बेस पर थोड़ा सा किनारा छोड़ते हुए टमॉटो स्प्रेड फैलायें। प्रत्येक बेस पर ½ कटी हुई सब्जियों को फैला दें। ½ कप चीज़ छिड़कें। प्रत्येक के ऊपर ½ सीख स्लाईस रखें। लाल मिर्च फ्लैक्स् सीख पर छिड़क दें।
4. माईक्रोवेव ऑवन को 180°C पर गरम करें।
5. दोबारा से ऑवन को 180°C तापमान पर 12 मिनिट के लिए सैट करें। गरम ऑवन में पीज़ा को वॉयर रेक पर रखें और 12 मिनिट के लिए या और अधिक समय तक पीज़ा कुरकुरा कर लें।

Tomato-Kaju Idli

The regular South Indian idlis made more appetising!

Makes 6 idlis

INGREDIENTS

1 cup suji (rawa)

1½ tbsp oil, 1 cup curd

½ cup water, approx., ½ tsp soda-bicarb

¾ tsp salt

OTHER INGREDIENTS

1 firm tomato - cut into 8 slices

4-5 cashews - split into halves

8-10 curry leaves

METHOD

❶ In a dish put 1½ tbsp oil. Microwave for 1 minute.

❷ Add suji. Mix well. Microwave high uncovered for 2 minutes.

❸ Add salt. Mix well. Allow to cool.

❹ Add curd and water. Mix till smooth.

❺ Add soda-bicarb. Mix very well till smooth. Keep aside for 10 minutes.

❻ Grease 6 small glass katoris or plastic idli boxes. Arrange a slice of tomato, a split cashew half and a curry leaf at the bottom of the katori.

❼ Pour 3-4 tbsp mixture into each katori.

❽ Arrange katoris in a ring in the microwave and microwave uncovered for 3½ minutes.

❾ Let them stand for 5 minutes. Serve hot with sambhar and chutney.

बनायें: 6 इडली

सामग्री

1 कप सूजी (रवा)

1½ बड़ा च. तेल, 1 कप दही

½ कप पानी, ½ छोटा च. मीठा सोडा

¾ छोटा च. नमक

अन्य सामग्री

1 साबुत टमाटर – 8 स्लाईसों में काट लें

4-5 काजू – आधे काट लें

8-10 करी पत्ते

विधि

❶ 1½ बड़ा च. तेल डिश में डालें। 1 मिनिट के लिए माईक्रोवेव करें।

❷ सूजी डालकर अच्छे से मिलायें। बिना ढ़के 2 मिनिट के लिए माईक्रोवेव करें।

❸ नमक डालें। अच्छे से मिलायें। ठण्डा करें।

❹ दही और पानी डालकर अच्छे से मिलायें।

❺ मीठा सोडा डालें और अच्छे से मिलाकर 10 मिनिट के लिए अलग रखें।

❻ 6 काँच की कटोरी या प्लॉस्टिक इडली बॉक्स चिकने करें। इस पर टमाटर के स्लाईस, आधा काजू टुकड़ा और करी पत्ते कटोरी के अन्दर वाली सतह पर लगायें।

❼ 3-4 बड़े च. मिक्सचर प्रत्येक कटोरी में डालें।

❽ कटोरियों को माईक्रोवेव में रखकर बिना ढ़के 3½ मिनिट के लिए माईक्रोवेव करें।

❾ ऑवन से निकालें और 5 मिनिट के लिए रख छोड़ें। सांभर और चटनी के साथ परोसें।

Pav Bhaji

Mixed vegetables flavoured with a fragrant spice blend. Enjoy it as a snack or for dinner.

Serves 4

INGREDIENTS

3 onions - chopped finely
3 potatoes
2 carrots - peeled and chopped
½ cup peas
1½ cups chopped cauliflower
1 cup chopped cabbage
3 tbsp oil
3 tbsp butter
2 tsp ginger-garlic paste
2½ tbsp pav bhaji masala
¼ tsp haldi (turmeric powder)
1½ tsp salt
3 tomatoes - chopped
1 tbsp chopped coriander

METHOD

1. Wash potatoes. Put in a plastic bag and microwave for 5 minutes. Peel and mash coarsely.
2. In a deep microproof bowl, put carrots, peas, cauliflower and cabbage. Add ½ cup water. Mix and microwave for 8 minutes. Let it cool. Blend roughly in a mixer for 1-2 seconds. Do not make it into a paste.
3. In a microproof dish add oil, onions, ginger-garlic paste, 2 tbsp pav bhaji masala and haldi. Mix well. Microwave for 6 minutes.
4. Add tomatoes and the roughly mashed vegetables. Mix well. Add 2 tbsp butter, 1½ tsp salt. Cover and microwave for 10 minutes. Stir once in between.
5. Add 1 cup water. Mix & microwave for 5 minutes.
6. Add 1 tsp pav bhaji masala, 2 tbsp chopped coriander and 1 tbsp butter. Mix and serve.

व्यक्ति: 4

सामग्री

3 प्याज़ - बारीक कटे हुए
3 आलू, 2 गाजर - छीलें और काट लें
½ कप मटर
1½ कप कटी हुई फूल गोभी
1 कप कटी हुई बन्द गोभी
3 बड़े च. तेल, 3 बड़े च. मक्खन
2 छोटे च. अदरक-लहसुन पेस्ट
2½ बड़े च. पॉव भाजी मसाला
¼ छोटा च. हल्दी, 1½ छोटा च. नमक
3 टमाटर - कटे हुए
1 बड़ा च. कटा हुआ हरा धनिया

विधि

1. आलू धोएँ। प्लॉस्टिक बेग में रखें और 5 मिनिट के लिए माईक्रोवेव करें। छीलें और दरदरा मैश करें।
2. गहरी माईक्रोवेव बाउल में गाजर, मटर, फूल गोभी और बन्द गोभी रखें। ½ कप पानी डालकर मिलायें और 8 मिनिट के लिए माईक्रोवेव करें। ठण्डा करें। मिक्सी में 1-2 सेकिण्ड के लिए चलायें। बारीक नहीं बनायें।
3. माईक्रोप्रूफ डिश में तेल, प्याज़, अदरक-लहसुन पेस्ट, 2 बड़े च. पॉव भाजी मसाला और हल्दी डालें। अच्छे से मिलायें। 6 मिनिट के लिए माईक्रोवेव करें।
4. टमाटर और दरदरी मैश की हुई सब्ज़ियाँ डालें। अच्छे से मिलायें। 2 बड़े च. मक्खन, 1½ छोटा च. नमक डालें। ढ़कें और 10 मिनिट के लिए माईक्रोवेव करें। बीच-बीच में एक बार चलायें।
5. 1 कप पानी डालकर मिलायें और 5 मिनिट के लिए माईक्रोवेव करें।
6. 1 छोटा च. पॉव भाजी मसाला, 3 बड़े च. कटा हुआ हरा धनिया और 1 बड़ा च. मक्खन डालें। मिलायें और परोसें।

Sesame Gold Coins

Sesame seeds and vegetables on golden brown bread, dotted with some tomato ketchup.

Servings 12

INGREDIENTS

6 bread slices, 1 tbsp oil

butter enough to spread

2 potatoes

1 small onion - chopped finely

1 carrot - grated

1 capsicum - chopped finely (diced)

½ tsp soya sauce, 1 tsp vinegar

½ tsp pepper, ¼ tsp chilli powder

salt to taste

sesame seeds (til) - to sprinkle

chilli garlic tomato sauce to dot

METHOD

❶ Wash potatoes. Put in a plastic bag and microwave for 4 minutes. Peel and mash coarsely.

❷ In a dish microwave onion & oil for 3 min. Add vegetables. Microwave for 2 minutes.

❸ Add potatoes, soya sauce, vinegar, salt, pepper and chilli powder. Microwave for 2 minutes.

❹ With a cutter or a sharp lid, cut out small rounds (about 1½" diameter) of the bread. Butter both sides of each piece lightly.

❺ Spread some potato mixture in a slight heap on the round piece of bread, leaving the edges clean. Press. Sprinkle sesame seeds. Press.

❻ Set your microwave oven at 180°C using the oven (convection) mode and press start to preheat oven.

❼ Place gold coins on grill rack.

❽ Re-set the preheated oven at 180°C for 12 minutes. Cook till bread turns golden on the edges and turns crisp from the under side. Serve, dotted with chilli-garlic sauce.

व्यक्तिः 12

सामग्री

6 ब्रेड स्लाईस, 1 बड़ा च. तेल

फैलाने के लिए प्रचुर मात्रा में मक्खन

2 आलू, 1 छोटा प्याज़ - बारीक कटा हुआ

1 गाजर - कद्दुकस करी हुई

1 शिमला मिर्च - बारीक कटी हुई

½ छोटा च. सोया सॉस

1 छोटा च. सिरका

½ छोटा च. काली मिर्च

¼ छोटा च. लाल मिर्च पाउडर

नमक स्वादानुसार, छिड़कने के लिए तिल

चिली गार्लिक टमॉटो सॉस – सजाने के लिए

विधि

❶ आलू को धोएँ। प्लॉस्टिक बेग में रखें और 4 मिनिट के लिए माईक्रोवेव करें। छीलें और दरदरा मैश करें।

❷ डिश में प्याज़ और तेल मिलाकर 3 मिनिट के लिए माईक्रोवेव करें। सब्जियाँ डालकर 2 मिनिट के लिए माईक्रोवेव करें।

❸ आलू, सोया सॉस, सिरका, नमक, काली मिर्च और लाल मिर्च डालकर 2 मिनिट के लिए माईक्रोवेव करें।

❹ ब्रेड को कटर या तेज धार वाले ढ़क्कन से छोटा गोल काट लें (लगभग 1½" व्यास)। प्रत्येक ब्रेड के पीस पर दोनों तरफ थोड़ा सा मक्खन लगा दें।

❺ ब्रेड के गोल पीस पर, किनारों को छोड़ते हुए थोड़ा सा आलू का मिक्सचर थोड़ा सा ऊँचा करके रखें और दबाएँ। तिल छिड़कें और दबाएँ।

❻ अपने माईक्रोवेव ऑवन को 180°C पर गरम करें।

❼ ग्रिल रेक पर गोल्ड कॉयन रखें।

❽ दोबारा से ऑवन को 180°C पर 12 मिनिट के लिए सैट करें। ब्रेड के किनारे कुरकुरे और सुनहरे होने तक पकायें। चिली गार्लिक सॉस की एक बून्द बीच में डालकर परोसें।

Italian Mushroom Caps

Mushroom stuffed with a filling flavoured with Italian dressing.

Serves 4

INGREDIENTS

200 gm mushroom

1 tbsp olive oil

½ onion - finely chopped

1 bread slice - remove sides and churn in a mixer to get fresh crumbs

1 tbsp chopped coriander

1 tbsp grated pizza cheese

salt & pepper to taste

WHISK TOGETHER

2 tbsp olive oil, 1 tbsp vinegar

½ tsp garlic paste, ¼ tsp salt, ¼ tsp pepper

METHOD

❶ Wash mushroom and hollow out the mushroom by removing the stem. Scoop out a little more with a melon scooper. Pat dry on a kitchen towel.

❷ Whisk olive oil, vinegar, garlic, salt & pepper. Rub this flavoured oil on the inside and outside of each mushroom.

❸ Chop the mushroom stems finely & mix in the left over flavoured olive oil mix.

❹ Microwave 1 tbsp olive oil, chopped stems and onion for 2 minutes.

❺ Add bread and coriander. Mix well. Add salt, pepper to taste.

❻ Fill each mushroom with this filling, forming a little heap.

❼ Pierce a wooden toothpick from the side of each mushroom. Keep aside till serving time.

❽ To serve microwave stuffed mushrooms for 4 minutes.

❾ Sprinkle mozzarella cheese and again microwave for 30 seconds or till cheese melts slightly.

व्यक्तिः 4

सामग्री

200 ग्राम मशरुम

1 बड़ा च. ऑलीव ऑयल

½ प्याज़ - कटा हुआ

1 ब्रेड स्लाईस – किनारे हटा कर मिक्सी में पीस कर ताज़े क्रम्बस् बना लें

1 बड़ा च. कटा हुआ हरा धनिया

1 बड़ा च. कद्दुकस किया पीज़ा चीज़

नमक और काली मिर्च स्वादानुसार

एक साथ मिलायें

2 बड़े च. आलीव ऑयल, 1 बड़ा च. सिरका

½ छोटा च. लहसुन पेस्ट

¼ छोटा च. नमक

¼ छोटा च. काली मिर्च

विधि

❶ मशरुम धोएँ और मशरुम के तने को निकालें। मेलन स्कूपर से थोड़ा सा ज़्यादा स्कूप करें। किचन तौलिये पर रखकर पोंछ लें।

❷ आलीव ऑयल, सिरका, लहसुन, नमक और काली मिर्च मिला लें। इस तेल को मशरुम के अन्दर और बाहर रगड़ दें।

❸ मशरुम के तने को बारीक काट लें और बचे हुए आलीव ऑयल में मिला दें।

❹ 1 बड़ा च. आलीव ऑयल, कटे हुए तने और प्याज़ को मिलाकर 2 मिनिट के लिए माईक्रोवेव करें।

❺ ब्रेड और धनिया डालकर अच्छे से मिलायें। नमक और काली मिर्च डालें।

❻ प्रत्येक मशरुम को इस मिक्सचर से भर कर भरावन को थोड़ा सा उठा दें।

❼ प्रत्येक मशरुम में लकड़ी के टूथपिक साईड से डाल दें। परोसने के समय तक अलग रखें।

❽ परोसने के लिए भरे हुए मशरुम को 4 मिनिट के लिए माईक्रोवेव करें।

❾ मोज़रेला चीज़ छिड़कें और दोबारा से 30 सेकिण्ड के लिए या चीज़ थोड़ा सा पिघलने तक माईक्रोवेव करें।

Paneer Tikka

The universal Indian delight, now made more delicious!

Serves 4

INGREDIENTS

300 gm paneer- cut into 2" squares

1 large capsicum - cut into 1" pieces or rings

1 onion - cut into 4 pieces

1 tomato - cut into 8 pieces

MARINADE

1 cup dahi - hang in a muslin cloth for 20 minutes

3 tbsp thick malai or thick cream

a few drops of orange colour or a pinch of haldi (turmeric)

1½ tbsp oil, 1 tbsp cornflour

½ tsp amchoor ½ tsp black salt

½ tsp red chilli powder, ¾ tsp salt

1 tbsp tandoori or chicken masala

1 tbsp ginger-garlic paste

METHOD

❶ Mix all ingredients of the marinade in a bowl. Add paneer. Mix well.

❷ Grease wire or grill rack. Arrange paneer on the greased wire rack. After all the paneer pieces are done, put capsicum, onions and tomato together in the left over marinade & mix well to coat the vegetables. Place vegetables also on rack.

❸ Set your microwave oven at 200°C using the oven (convection) mode and press start to preheat.

❹ Put the tikkas in the hot oven.

❺ Re-set the preheated oven again at 200°C for 20 minutes. Cook the tikkas for 15 minutes.

❻ Spoon some melted butter on the tikkas and cook further for 5 minutes. Remove from oven. Sprinkle chat masala & lemon juice. Serve hot.

व्यक्तिः 4

सामग्री

300 ग्राम पनीर – 2" चौकोर काट लें

1 बड़ा शिमला मिर्च – 1" पीस या गोल छल्लों में काट लें

1 प्याज़ – 4 टुकड़ों में काट लें

1 टमाटर – 8 टुकड़ों में काट लें

मेरिनेड्

1 कप दही – मलमल के कपड़े में 20 मिनिट के लिए बाँधकर लटका दें

3 बड़े च. मलाई या गाढ़ी क्रीम

कुछ बून्द ऑरेंज लाल रंग या चुटकी भर हल्दी, 1½ बड़ा च. तेल

1 बड़ा च. कॉर्नफ्लार, ½ छोटा च. अमचूर

½ छोटा च. काला नमक

½ छोटा च. लाल मिर्च पाउडर

¾ छोटा च. नमक

1 बड़ा च. तन्दूरी या चिकन मसाला

1 बड़ा च. अदरक-लहसुन पेस्ट

विधि

❶ मेरिनेड् की सभी सामग्री को बाउल में मिला लें। पनीर डालें और अच्छे से मिलायें।

❷ वॉयर रेक या ग्रिल रेक को तेल से चिकना करें। पनीर को चिकने वॉयर रेक पर रखें। बचे हुए मेरिनेड् में शिमला मिर्च, टमाटर और प्याज़ को अच्छे से मिला लें। सब्ज़ियों को भी रेक पर रखें।

❸ माईक्रोवेव ऑवन को कॉनवेक्शन पर 200°C तापमान पर गरम करें।

❹ गरम ऑवन में टिक्के रखें।

❺ दोबारा से ऑवन को 200°C तापमान पर 20 मिनिट के लिए गरम करें। टिक्कों को 15 मिनिट के लिए पकायें।

❻ थोड़ा सा पिघला हुआ मक्खन टिक्कों पर डालकर बचे हुए 5 मिनिट के लिए सेक लें। ऑवन से निकालें। चाट मसाला और नींबू का रस छिड़कें। गरम परोसें।

Shami Kebab

Small patties of mince meat, grilled in the microwave to perfection.

<table>
<tr><td>

Makes 15 kebabs

INGREDIENTS

½ kg mutton mince (keema)

1 onion - sliced

10 flakes garlic - chopped

2" piece ginger - chopped

2 tsp saboot dhania (coriander seeds)

1 tsp cumin seeds (jeera)

3-4 cloves (laung)

seeds of 2 green cardamom (illaichi)

seeds of 1 black cardamom

½" stick cinnamon (dalchini)

4-5 whole peppercorns

2-3 dry, whole red chillies

salt to taste, ½ cup water

1- 2 green chillies - chopped

1 egg, 4 tbsp besan (gramflour)

1 tbsp kasoori methi

1 tbsp chopped coriander

</td><td>

बनायें: 15 कबाब

सामग्री

½ किलो मटन कीमा

1 प्याज़ - स्लाईस किये हुए

10 कली लहसुन - कटा हुआ

2" टुकड़ा अदरक - कटी हुई

2 छोटे च. साबुत धनिया

1 छोटा च. जीरा

3-4 लौंग

2 छोटी इलायची और 1 बड़ी इलायची के दाने

½" टुकड़ा दालचीनी

4-5 साबुत काली मिर्च

2-3 सूखी लाल मिर्च

नमक स्वादानुसार, ½ कप पानी

1-2 हरी मिर्च - कटी हुई

1 अण्डा, 4 बड़े च. बेसन

1 बड़ा च. कसूरी मेथी

1 बड़ा च. कटा हुआ हरा धनिया

</td></tr>
</table>

METHOD

❶ Wash the mince in a strainer & press well to drain out the water well through the strainer.

❷ Except egg, besan, kasoori methi & coriander, add all ingredients to the mince in a shallow microproof dish & mix very well. Microwave at 70% power for 10 minutes.

❸ Grind mince in a mixer without adding any water till smooth.

❹ Mix egg, besan, kasoori methi and coriander.

❺ Take a ball of the mixture, shape into a ball and flatten it to give a shape of a kebab/disc with oiled hands.

❻ Grill for 20 minutes on the rack. After 10 minutes, overturn the kebabs and pour ½ tsp oil on each kebab and grill for another 10 minutes. Serve hot with hari chutney.

विधि

❶ चलनी में कीमा धोएँ और अच्छे से निचोड़ कर सारा पानी निकाल दें।

❷ अण्डा, बेसन, कसूरी मेथी और धनिया छोड़कर, बाकी की सारी सामग्री कीमे में डालकर माईक्रोप्रूफ डिश में अच्छे से मिलायें। 10 मिनिट के लिए 70% पॉवर पर माईक्रोवेव करें।

❸ कीमे को मिक्सी में बिना पानी डाले बारीक पीस लें।

❹ अण्डा, बेसन, कसूरी मेथी और धनिया डालकर अच्छे से मिलायें।

❺ मिक्सचर की गोली बनायें, हाथ पर तेल लगाकर गोली को चपटा सा आकार बनाकर कबाब बनायें।

❻ रेक पर 20 मिनिट के लिए ग्रिल करें। 10 मिनिट के बाद कबाब को पलट कर ½ छोटा च. तेल प्रत्येक कबाब पर डालकर अन्य 10 मिनिट के लिए ग्रिल करें। हरी चटनी के साथ परोसें।

Instant Khaman Dhokla

This light Gujarati snack is quick to make in a microwave.

Serves 6

INGREDIENTS

1½ cups besan (gram flour)
1 cup water, 1 tbsp oil
½ tsp haldi (turmeric)
1 tsp green chilli paste, 1 tsp ginger paste
1 tsp salt, 1 tsp sugar
¼ tsp soda-bi-carb (mitha soda)
1½ tsp eno fruit salt, 2 tsp lemon juice

TEMPERING

2 tbsp oil, 1 tsp rai (mustard seeds)
2-3 green chillies - slit into long pieces
¼ cup white vinegar
¾ cup water, 1 tbsp sugar

METHOD

1. Grease a 7" diameter round, flat dish with oil. Keep aside.
2. Sift besan through sieve to make it light and free of any lumps.
3. Mix besan, water, oil, turmeric powder, salt, sugar, chilli paste, ginger paste and water to a smooth batter.
4. Add eno fruit salt and soda-bi-carb to the batter and pour lemon juice over it. Beat well for a few seconds.
5. Immediately pour this mixture in the greased dish. Microwave uncovered for 6 minutes. Remove from oven & keep aside.
6. To temper, microwave oil, green chillies, rai, water, sugar and vinegar for 4½ minutes. Pour over the dhokla and wait for ½ hour to absorb it and to turn soft.
7. Cool and cut into 1½" pieces.
8. Sprinkle chopped coriander. Serve.

व्यक्ति: 6

सामग्री

1½ कप बेसन
1 कप पानी, 1 बड़ा च. तेल
½ छोटा च. हल्दी
1 छोटा च. हरी मिर्च पेस्ट
1 छोटा च. अदरक पेस्ट
1 छोटा च. नमक, 1 छोटा च. चीनी
¼ छोटा च. मीठा सोडा
1½ छोटा च. इनो फ्रूट सॉल्ट
2 छोटे च. नींबू का रस

छौंक

2 बड़े च. तेल, 1 छोटा च. राई
2-3 हरी मिर्च - लम्बाई में चीर लगा लें
¼ कप सफेद सिरका
¾ कप पानी, 1 बड़ा च. चीनी

विधि

1. 7" व्यास की चपटी गोल डिश को तेल से चिकना करें। अलग रखें।
2. बेसन को चलनी में छान कर कोई ढ़ेला न रहने दें।
3. बेसन, पानी, तेल, हल्दी पाउडर, नमक, चीनी, हरी मिर्च पेस्ट और अदरक पेस्ट को मिलाकर घोल बना लें।
4. इनो फ्रूट सॉल्ट और मीठा सोडा घोल में डालें और ऊपर से नींबू का रस डाल दें। कुछ सेकिण्ड के लिए अच्छे से फेंटें।
5. तुरन्त इस मिक्सचर को चिकनी डिश में रखें। घोल को बराबर कर दें। बिना ढ़के 6 मिनिट के लिए माईक्रोवेव करें। ॲवन में से निकालें और अलग रखें।
6. छौंक के लिए तेल, हरी मिर्च और राई को 2 मिनिट के लिए माईक्रोवेव करें। पानी, चीनी और सिरका डालकर 4½ मिनिट के लिए माईक्रोवेव करें। ढ़ोकले के ऊपर डालें और ½ घण्टे तक ढोकले को पानी सोख कर नरम होने दें।
7. ठण्डा करें और 1½" टुकड़ों में काट लें।
8. कटा हुआ धनिया छिड़क कर परोसें।

Crispy Chicken

Chicken coated with bread crumbs and grilled till soft and succulent.

Serves 4

INGREDIENTS

400 gms chicken drumsticks (small legs)

MARINADE

4 tbsp oil or melted butter

1½ tsp garlic paste, 1½ tsp chilli pd.

1 tsp jeera (cumin seeds) - powdered

2 tsp dhania powder (coriander powder)

2" stick dalchini (cinnamon) - powdered

1 tbsp maida (flour), 1½ tsp salt

OTHER INGREDIENTS

2 eggs - beat well

½ cup dry bread crumbs

METHOD

❶ Wash chicken, pat dry on a cloth napkin. Prick with a fork all over.

❷ Mix all the ingredients written under marinade in a flat bowl.

❸ Add the chicken & let it marinate for 4 hours or overnight in the fridge. (The longer the marination time, the more flavourful your chicken).

❹ Beat eggs lightly. Add ¼ tsp salt and ¼ tsp red chilli powder. Mix well.

❺ Spread bread crumbs in a flat plate.

❻ Dip each chicken leg in egg and roll it in the bread crumbs.

❼ Set your microwave oven at 200°C using the oven (convection) mode and press start to preheat.

❽ Place chicken in a baking dish, pour 1 tbsp oil or melted butter on the pieces and place in the hot oven.

❾ Re-set the hot oven again at 200°C for 40 minutes. First, bake for 20 minutes. Then overturn the pieces and sprinkle 1 tbsp of butter on the legs. Bake for the remaining 20 minutes or till chicken is cooked.

40

व्यक्तिः 4

सामग्री

400 ग्राम चिकन ड्रमस्टिक (छोटी टाँगें)

मेरिनेड

4 बड़े च. तेल या पिघला हुआ मक्खन

1½ छोटा च. लहसुन पेस्ट

1½ छोटा च. लाल मिर्च पाउडर

1 छोटा च. जीरा पाउडर, 2 छोटे च. धनिया पाउडर, 2" टुकड़ा दालचीनी - पीस लें

1 बड़ा च. मैदा, 1½ छोटा च. नमक

अन्य सामग्री

2 अण्डे - अच्छे से फेंट लें

½ कप सूखे ब्रेड-क्रम्बस्

विधि

❶ चिकन धोएँ और नेपकिन पर सुखा लें। काँटे से सभी जगह गोद दें।

❷ मेरिनेड की सभी सामग्री चपटे बाउल में मिला लें।

❸ मेरिनेड में चिकन डालें और 4 घण्टे या रातभर फ्रीज में रखें। (मेरिनेड जितना अधिक समय करेंगे चिकन उतना ही स्वादिष्ट बनेगा)

❹ अण्डे को थोड़ा सा फेंट लें। ¼ छोटा च. नमक और ¼ छोटा च. लाल मिर्च पाउडर डालकर अच्छे से मिला लें।

❺ ब्रेड-क्रम्बस् प्लेट में फैला दें।

❻ प्रत्येक चिकन की टाँग को अण्डे में डूबोकर ब्रेड-क्रम्बस् में रोल करें।

❼ माईक्रोवेव अॅवन को 200°C तापमान पर गरम करें।

❽ चिकन को बेकिंग डिश में रख कर 1 बड़ा च. तेल या पिघला हुआ मक्खन चिकन पर डालें और गरम अॅवन में रख दें।

❾ दोबारा से अॅवन को 200°C तापमान पर 40 मिनिट के लिए सैट करें। पहले 20 मिनिट के लिए चिकन बेक करें। अब चिकन को पलट दें और 1 बड़ा च. मक्खन छिड़क दें। बचे हुए 20 मिनिट फिर बेक करें या चिकन पकने तक पकायें।

Chicken Rolls

Soft and creamy rolls are low in calories too.

Makes 6-7 small rolls

INGREDIENTS

200 gms chicken with bones
½ onion - chopped
1 tbsp oil, 1 tbsp butter
1 tbsp maida (flour), ¼ cup milk
½ tsp salt, ¼ tsp pepper to taste
¼ tsp red chilli flakes
2 green chillies - chopped
1 bread slice - churned in a mixer
1 egg, ½ cup maida (flour)

METHOD

❶ Put chicken & 1 tbsp oil in a microproof bowl. Microwave covered for 5 minutes. Shred chicken into very small pieces. Remove chicken from dish.

❷ Melt butter for 30 seconds in the same microproof dish.

❸ Add shredded chicken, onion, salt, pepper, red chilli flakes, green chillies and maida. Microwave for 20 seconds.

❹ Add milk, mix well & microwave uncovered for 1 minute. Remove from microwave.

❺ Add freshly churned bread crumbs. Keeping aside 2 tbsp of egg white add the rest of the egg to the chicken mixture. Check salt. Mix well.

❻ Shape the mixture into 6-7 rolls. Flatten the sides by pressing the sides against a flat surface.

❼ Mix 2 tbsp egg white with 2 tbsp of water. Dip each roll in it & then roll over maida spread in a plate. Coat well. Keep in the fridge.

❽ To serve, grill for 20 minutes till the rolls turn golden brown and crisp. Overturn in between after 10 minutes. Serve hot with ketchup.

बनायें: 6-7 छोटे रोल

सामग्री

200 ग्राम हड्डी वाला चिकन
½ प्याज़ – कटा हुआ
1 बड़ा च. तेल, 1 बड़ा च. मक्खन
1 बड़ा च. मैदा, ¼ कप दूध
½ छोटा च. नमक
¼ छोटा च. काली मिर्च या स्वादानुसार
¼ छोटा च. लाल मिर्च फ्लेक्स् (कुटी हुई)
2 हरी मिर्च – कटी हुई
1 ब्रेड स्लाईस – मिक्सी में पीस लें
1 अण्डा, ½ कप मैदा

विधि

❶ चिकन और तेल माईक्रोप्रूफ बाउल में रखें। ढ़क कर 5 मिनिट के लिए माईक्रोवेव करें। चिकन को बहुत छोटे टुकड़ों में कर लें। डिश में से चिकन निकाल दें।

❷ इसी माईक्रोप्रूफ डिश में 30 सेकिण्ड के लिए मक्खन को पिघलने दें।

❸ चिकन के टुकड़े, प्याज़, नमक, काली मिर्च, लाल मिर्च फ्लेक्स्, हरी मिर्च और मैदा डालकर 20 सेकिण्ड के लिए माईक्रोवेव करें।

❹ दूध डालकर अच्छे से मिलायें और 1 मिनिट के लिए माईक्रोवेव में बिना ढ़के रखें।

❺ ताज़ा ब्रेड-क्रम्बस् डालें। 2 बड़े च. ऐग वाईट अलग रखकर, बचा हुआ अण्डा चिकन में मिला दें। नमक देखें। अच्छे से मिलायें।

❻ मिक्सचर से 6-7 रोल बनायें। साईड से दबाकर चपटा कर दें।

❼ 2 बड़े च. ऐग वाईट को 2 बड़े च. पानी में मिला दें। इस मिक्सचर में प्रत्येक रोल को डुबोएँ और प्लेट में फैलाए हुए मैदे में रोल करके अच्छे से परत चढ़ायें। फ्रीज में रखें।

❽ परोसने के लिए 20 मिनिट तक रोल को कुरकुरे और सुनहरे होने तक ग्रिल करें। बीच में 10 मिनिट के बाद पलट दें।सॉस के साथ परोसें।

Chicken Sandwiches

Chicken shreds in mayonnaise spiked with mustard make wonderful grilled sandwiches.

Serves 4-6

INGREDIENTS

1 chicken breast with bones
8 bread slices, preferably brown bread
½ onion - cut into very thin slices and separated
5-6 tbsp ready-made mayonnaise
½ tsp salt, ½ tsp pepper
½ tsp oregano
1 tsp mustard paste (readymade)
2 tbsp butter - to spread on bread slices
a few lettuce or cabbage leaves

METHOD

1. Put chicken & oil in a microproof bowl and microwave covered for 6 minutes. Remove from microwave. Cool and debone the chicken from the bones and shred into very small pieces.
2. In a bowl mix together chicken pieces, onion, mayonnaise, salt, pepper, oregano & mustard. Check seasonings. Keep the seasonings of the filling a little strong because it may taste bland when applied on the bread.
3. Butter each bread slice on one side.
4. Spread the chicken mixture on the unbuttered side of the bread slice. Break lettuce or cabbage leaf into bite size pieces and place on filling.
5. Top with another slice, keeping the buttered side outside. Repeat with other slices to make 4 sandwiches.
6. Put sandwich on the wire rack. Press well on the rack to get lines on the sandwiches. Grill for 15 minutes. Inbetween, after 7-8 minutes, turn side and grilll till both sides are crisp & golden.

व्यक्ति: 4-6

सामग्री

1 चिकन ब्रेस्ट (छाती) हड्डी के साथ
8 ब्रेड स्लाईस
½ प्याज़ - पतले स्लाईस में काटकर अलग करें, 5-6 बड़े च. रेडिमेड् मायोनीज़
½ छोटा च. नमक, ½ छोटा च. काली मिर्च
½ छोटा च. ऑरिगैनो
1 छोटा च. मस्टर्ड् पेस्ट (रेडिमेड्)
2 बड़े च. मक्खन - ब्रेड स्लाईस पर फैलाने के लिए
कुछ सलाद या बन्द गोभी के पत्ते

विधि

1. चिकन और तेल को माईक्रोप्रूफ बाउल में रखें और 6 मिनिट के लिए ढ़क कर माईक्रोवेव करें। माईक्रोवेव से निकालें। ठण्डा करें और हड्डी निकाल दें और चिकन को छोटे टुकड़ों में तोड़ दें।
2. चिकन के टुकड़ों के साथ प्याज़, मायोनीज़, नमक, काली मिर्च, ऑरिगैनो और मस्टर्ड् एक साथ मिलायें। मसाले स्वादानुसार देखें। भरावन का स्वाद थोड़ा तेज़ रखें जिससे ब्रेड पर लगाने पर स्वाद फीका न लगे।
3. प्रत्येक ब्रेड स्लाईस पर एक तरफ मक्खन लगायें।
4. चिकन मिक्सचर को ब्रेड की बिना मक्खन लगी सतह पर फैला दें। लेटयूस् या बन्द गोभी के पत्तों को 2-3 टुकड़ों में तोड़कर भरावन पर रखें।
5. दूसरे स्लाईस की मक्खन लगी साईड को बाहर रखते हुए भरावन पर स्लाईस रखें। इस प्रकिया को दोबारा अन्य दूसरे स्लाईसों पर अपनाएं और 4 सेंडविच तैयार करें।
6. सेंडविच को वॉयर रेक पर रखें। सेंडविच को रेक पर अच्छे से दबाएँ और सेंडविच पर लाईन आने दें और 15 मिनिट के लिए ग्रिल करें। 7-8 मिनिट के बाद बीच में पलट कर दोनों तरफ से सुनहरा और कुरकुरा होने दें।

Corn Minestrone

A hearty Mexican tomato soup with vegetables.

Serves 4-6

INGREDIENTS

½ cup corn kernels

2 mushrooms - sliced very finely

¼ cup finely chopped carrots

1 tbsp finely chopped french beans

¼ cup finely chopped potatoes

2 large tomatoes

1 tbsp butter

2 tbsp chopped onions

5 cups water mixed with a seasoning cube

salt and pepper to taste

GARNISH

2-3 tbsp grated cheese

METHOD

❶ To blanch the tomatoes, put a cross on the stem end of each tomato & place on a microproof plate. Microwave for 2 minutes. Peel the skin & chop them finely.

❷ Put butter in a big, deep microproof bowl. Microwave for 30 seconds.

❸ Add onions and microwave for 2 minutes.

❹ Add corn, mushrooms, carrots, french beans and potatoes. Mix well. Microwave for 5 minutes.

❺ Add blanched and chopped tomatoes, pepper and water mixed with a vegetarian seasoning cube. Microwave covered for 8 minutes. Stir once inbetween.

❻ Remove from the microwave and mash lightly. Check salt.

❼ Serve hot in soup bowls garnished with finely grated cheese.

व्यक्ति: 4-6

सामग्री

½ कप भुट्टे के दाने

2 मशरुम – बहुत बारीक स्लाईस कर लें

¼ कप बारीक कटी हुई गाजर

1 बड़ा च. बारीक कटे हुए फ्रांस बीन

¼ कप बारीक कटा हुआ आलू

2 बड़े टमाटर

1 बड़ा च. मक्खन

2 बड़े च. कटा हुआ प्याज़

5 कप पानी 1 सीज़निंग क्यूब के साथ मिलायें

नमक और काली मिर्च स्वादानुसार

सजाने के लिए

2-3 बड़े च. कदुकस किया हुआ चीज़

विधि

❶ टमाटर का छिलका उतारने के लिए प्रत्येक टमाटर के नीचे क्रॉस लगायें और माईक्रोप्रूफ प्लेट में रखें। 2 मिनिट के लिए माईक्रोवेव में रखें। छील कर छिलका उतार दें और बारीक काट लें।

❷ मक्खन को बड़ी गहरी माईक्रोप्रूफ बाउल में रखें और 30 सेकिन्ड के लिए माईक्रोवेव करें।

❸ प्याज़ डालें और 2 मिनिट के लिए माईक्रोवेव करें।

❹ भुट्टे के दाने, मशरुम, गाजर, फ्रांस बीन और आलू डालें। अच्छे से मिलायें और 5 मिनिट माईक्रोवेव करें।

❺ कटे हुए टमाटर, काली मिर्च और सीज़निंग क्यूब के साथ मिलाया हुआ पानी डालें। ढ़क कर 8 मिनिट माईक्रोवेव करें। बीच में एक बार चलायें।

❻ माईक्रोवेव से निकालें और थोड़ा सा मिलायें। नमक देखें।

❼ सूप बाउल में बारीक कदुकस की हुई चीज़ के साथ सजाकर गरम-गरम परोसें।

Chicken Mulligatawny

Chicken soup with pepper and coconut milk as the main ingredients.

Serves 4-6

INGREDIENTS

250 gm chicken with bones

2 cups coconut milk (ready made)

1 onion - chopped

a few curry leaves

3-4 flakes garlic - crushed

½" piece ginger - finely chopped

½ tsp roasted cumin (jeera) powder

½ tsp turmeric (haldi) powder

½ tsp red chilli powder

½ tsp pepper

1 large tomato

salt to taste

TO GARNISH

2 tbsp boiled rice

METHOD

1. Wash and microwave covered, chicken and 2 cups water for 6 minutes. Strain.
2. Reserve the strained liquid.
3. Shred and keep the chicken aside and discard the bones.
4. Put a cross on the stem end of tomato and microwave for 1½ minutes in a plate. After it cools, remove peel and chop finely.
5. Microwave 1 tbsp oil, onion, curry leaves, garlic, ginger, cumin, haldi, chilli powder and pepper for 4 minutes.
6. Add the chopped tomato, salt, coconut milk, shredded chicken. and the strained liquid. The soup should now be 4 cups in quantity. Microwave for 10 minutes, stirring once inbetween.
7. Pour soup into bowls and garnish with a tsp of boiled rice. Serve hot.

व्यक्तिः 4-6

सामग्री

250 ग्राम चिकन हड्डी के साथ

2 कप नारियल का दूध

1 प्याज़ - कटा हुआ

कुछ करी पत्ते

3-4 कली लहसुन - दरदरा पीस लें

½" टुकड़ा अदरक - बारीक कटी हुई

½ छोटा च. भूना हुआ जीरा पाउडर

½ छोटा च. हल्दी पाउडर

½ छोटा च. लाल मिर्च पाउडर

½ छोटा च. काली मिर्च पाउडर

1 बड़ा टमाटर

नमक स्वादानुसार

सजाने के लिए

2 बड़े च. उबले हुए चावल

विधि

1. चिकन धोएँ और 2 कप पानी के साथ 6 मिनिट के लिए माईक्रोवेव में रखें। निकालें।
2. छने हुए पानी को रखें।
3. चिकन में से माँस निकालें और हड्डी को अलग रखें।
4. टमाटर के नीचे क्रॉस लगाएँ और प्लेट में रखकर 1½ मिनिट के लिए माईक्रोवेव करें। ठण्डा होने के बाद छीलकर बारीक काट लें।
5. 1 बड़ा च. तेल, प्याज़, करी पत्ते, लहसुन, अदरक, जीरा, हल्दी, लाल मिर्च पाउडर और काली मिर्च 4 मिनिट के लिए माईक्रोवेव करें।
6. कटे हुए टमाटर, नमक, नारियल का दूध, चिकन के टुकड़े और छना हुआ चिकन का पानी मिला लें। सूप मात्रा में 4 कप होना चाहिए। 10 मिनिट के लिए माईक्रोवेव करें और बीच में एक बार चलायें।
7. बाउल में सूप डालें और 1 छोटा च. उबले हुए चावल से सजायें। गरम-गरम परोसें।

Capsicum Soup

A cheesy light green soup.

Serves 4

INGREDIENTS

4 medium sized capsicums - cut into big pieces

2 tomatoes - cut into big pieces

2 cups water

½ cup milk

2 tsp cheese spread

1 tsp salt

½ tsp pepper or to taste

1 tsp butter

METHOD

❶ Microwave capsicum and tomato with 1 cup water in a microproof bowl for 3 minutes.

❷ Remove from the microwave, cool.

❸ Add 1 cup water. Churn in a mixer to get a smooth puree. Strain puree.

❹ To the strained puree add milk, cheese spread, salt, pepper and butter. Microwave for 6 minutes.

❺ Pour into individual bowls and serve hot.

व्यक्तिः 4

सामग्री

4 मध्यम साईज़ की शिमला मिर्च – बड़े टुकड़ों मे काट लें

2 टमाटर – बड़े टुकड़ों मे काट लें

2 कप पानी

½ कप दूध

2 छोटे च. चीज़ स्प्रेड

1 छोटा च. नमक

½ छोटा च. काली मिर्च स्वादानुसार

1 छोटा च. मक्खन

विधि

❶ माईक्रोप्रूफ बाउल में शिमला मिर्च और टमाटर 1 कप पानी के साथ 3 मिनिट के लिए माईक्रोवेव करें।

❷ माईक्रोवेव से निकालें और ठण्डा करें।

❸ 1 कप पानी डालें। मिक्सी में पीसकर बारीक प्यूरी बना लें। प्यूरी छान लें।

❹ छनी हुई प्यूरी में दूध, चीज़ स्प्रेड, नमक, काली मिर्च और मक्खन डालें। 6 मिनिट के लिए माईक्रोवेव करें।

❺ सूप बाउल में डालकर गरम परोसें।

Sweet Corn Soup

Picture on page 30

The all time favourite Chinese soup!

Serves 4	**व्यक्ति: 4**

INGREDIENTS

150 gm chicken with bones

2 whole corns-on-the cob (bhutta)

¼ cup cabbage - shredded

½ cup grated carrot, 2 tbsp butter

3 tbsp cornflour- dissolve in ½ cup water

2 tbsp white vinegar, 1 tbsp sugar

½ tsp ajinomoto (optional)

½ tsp white pepper, 1½ tsp salt

1-2 drops soya sauce

METHOD

❶ Wash and microwave chicken covered with ½ cup water at 70% power for 6 minutes. Remove chicken from the bones.

❷ Remove husk from corn and break each into 2 pieces. Put the corn pieces in a ploythene bag (plastic bag), tie the mouth of the bag loosely and microwave for 4½ minutes.

❸ Scrape corn from the cob with a knife. Churn corn roughly in a mixer with ½ cup water for a few seconds.

❹ Put the crushed corn, 4 cups of water, 1½ tsp salt, vinegar, pepper and sugar. Add butter. Mix well & microwave covered for 8 minutes. Stir once inbetween.

❺ Dissolve cornflour in ½ cup water and add to the soup. Microwave covered for 3 minutes. Stir once inbetween.

❻ Add cabbage and carrot. Add boiled chicken, along with the liquid and soya sauce. Mix well. Check salt. Microwave for 1 minute.

❼ Serve hot with green chillies in vinegar.

सामग्री

150 ग्राम चिकन हड्डी के साथ

2 बड़े च. मक्खन, 2 साबुत भुट्टे

¼ कप बन्द गोभी – बारीक काट लें

½ कप कदुकस की हुई गाजर

3 बड़े च. कॉर्नफ्लार ½ कप पानी में घोलें

2 बड़े च. सफेद सिरका, 1 बड़ा च. चीनी

½ छोटा च. अजीनोमोटो (ऐच्छिक)

½ छोटा च. सफेद मिर्च पाउडर

1½ छोटा च. नमक, 1-2 बून्द सोया सॉस

विधि

❶ चिकन धोएँ और ½ कप पानी के साथ 6 मिनिट के लिए 70% पॉवर पर माईक्रोवेव करें। हड्डी से चिकन निकाल लें।

❷ भुट्टे का छिलका उतार दें और 2 टुकड़ों में तोड़ लें। पोलीथिन बेग में भुट्टे के टुकड़े रखें और मुंह को ढीला बाँधकर 4½ मिनिट के लिए माईक्रोवेव करें।

❸ चाकू से भुट्टे के दाने खुरच कर निकाल लें। मिक्सी में भुट्टे को ½ कप पानी के साथ कुछ सेकिण्ड के लिए दरदरा पीस लें।

❹ पीसे हुए भुट्टे, 4 कप पानी, 1½ छोटा च. नमक, सिरका, काली मिर्च, चीनी और मक्खन डालें। अच्छे से मिलायें और 8 मिनिट माईक्रोवेव करें। बीच में एक बार चलायें।

❺ कॉर्नफ्लार को ½ कप पानी में घोलें और सूप में डालें। ढक कर 3 मिनिट के लिए माईक्रोवेव करें। बीच में एक बार चलायें।

❻ बन्द गोभी और गाजर डालें। उबला हुआ चिकन पानी के साथ और सोया सॉस डालें। अच्छे से मिलायें। नमक देखें और 1 मिनिट के लिए माईक्रोवेव करें।

❼ सिरके में पड़ी हुई हरी मिर्च के साथ गरम-गरम परोसें।

Palak Paneer

Spinach and cottage cheese - a wonderful combination!

Serves 4
INGREDIENTS

250 gm paneer - cut into 1" cubes

1 bundle (600 gm) spinach

2 tbsp oil

1 tsp cumin seeds (jeera)

½" piece ginger

4-5 flakes of garlic

2 onions - chopped

1 green chilli - chopped

2 tsp coriander powder (dhania powder)

½ tsp garam masala

2 tomatoes - chopped

2 tbsp dry fenugreek leaves (kasoori methi)

1 tbsp butter

½ tsp red chilli powder

¾ tsp salt, ¼ tsp sugar

¼ cup milk

METHOD

❶ In a microproof deep bowl put oil, jeera, ginger, garlic, onions, green chilli, 2 tsp dhania powder and garam masala. Mix well. Microwave for 5 minutes.

❷ Add chopped tomatoes and kasoori methi. Mix well. Add washed spinach leaves. Microwave for 8 minutes.

❸ Cool spinach. Blend with ½ cup water.

❹ Transfer the spinach puree to the same microproof dish. Add 1 tbsp butter, ½ tsp red chilli powder, paneer, ¾ tsp salt, ¼ tsp sugar, ¼ cup milk and ¼ cup water. Mix well.

❺ Microwave for 5 minutes. Serve hot.

व्यक्ति: 4
सामग्री

250 ग्राम पनीर – 1" टुकड़ों में काट लें

1 गट्ठी (600 ग्राम) पालक

2 बड़े च. तेल

1 छोटा च. जीरा

½" टुकड़ा अदरक

4-5 कली लहसुन

2 प्याज़ – कटी हुई

1 हरी मिर्च – कटी हुई

2 छोटे च. धनिया पाउडर

½ छोटा च. गरम मसाला

2 टमाटर – कटे हुए

2 बड़े च. कसूरी मेथी

1 बड़ा च. मक्खन

½ छोटा च. लाल मिर्च पाउडर

¾ छोटा च. नमक, ¼ छोटा च. चीनी

¼ कप दूध

विधि

❶ माईक्रोप्रूफ गहरी बाउल में तेल, जीरा, अदरक, लहसुन, प्याज़, हरी मिर्च, 2 छोटे च. धनिया पाउडर और गरम मसाला डालकर अच्छे से मिलायें। 5 मिनिट के लिए माईक्रोवेव करें।

❷ कटे हुए टमाटर और कसूरी मेथी डालें। अच्छे से मिलायें। धुले हुए पालक के पत्ते डालें और 8 मिनिट के लिए माईक्रोवेव करें।

❸ पालक ठण्डा करें और ½ कप पानी के साथ मिला लें।

❹ पालक प्यूरी को इसी माईक्रोप्रूफ डिश में रखें। 1 बड़ा च. मक्खन, ½ छोटा च. लाल मिर्च पाउडर, पनीर, ¾ छोटा च. नमक, ¼ छोटा च. चीनी, ¼ कप दूध और ¼ कप पानी डालें। अच्छे से मिलायें।

❺ 5 मिनिट के लिए माईक्रोवेव करें और गरम परोसें।

Khumb Matar Miloni

Mushroom and peas in a tomato - yogurt gravy.

Serves 4

INGREDIENTS

1 packet (200 gm) mushrooms (khumb)

1 cup peas (shelled)

2 tbsp oil, 1 tsp ginger-garlic paste

1 tbsp fenugreek leaves (kasoori methi)

PASTE - 1

2 onions, 2 laung (cloves)

2 green cardamoms (chhoti illaichi)

1 tsp saunf (fennel)

¼ tsp turmeric powder, 3 tbsp oil

PASTE - 2

3 tomatoes - cut into 4 pieces

½ cup yogurt (dahi)

1¼ tsp salt, ½ tsp garam masala

½ tsp degi mirch or red chilli powder

METHOD

❶ Cut each mushroom into 4 pieces.

❷ Put 2 tbsp oil, ginger- garlic paste and mushrooms in a microproof dish. Mix and spread them in the dish. Microwave for 3 minutes. Remove mushrooms from the dish and keep aside.

❸ Grind all the ingredients of paste-1 in a mixer to a smooth paste.

❹ Grind all the ingredients of paste-2 in a mixer to a smooth paste.

❺ For the masala, put the paste-1 of onions in the same microproof dish and microwave for 7 minutes.

❻ Add paste-2 of tomatoes & kasoori methi. Mix and microwave for 7 minutes.

❼ Add 2 cups water and peas. Microwave for 6 minutes.

❽ Add the mushrooms. Microwave for 2 minutes. Serve hot.

व्यक्तिः 4

सामग्री

1 पैकेट (200 ग्राम) मशरुम

1 कप मटर

1 छोटा च. अदरक-लहसुन पेस्ट

2 बड़े च. तेल

1 बड़ा च. मेथी के पत्ते

पेस्ट - 1

2 प्याज़, 2 लौंग, 2 छोटी इलायची

1 छोटा च. सौंफ

½ छोटा च. हल्दी पाउडर

3 बड़े च. तेल

पेस्ट - 2

3 टमाटर - 4 टुकड़ों में काट लें

½ कप दही

1¼ छोटा च. नमक, ½ छोटा च. गरम मसाला

½ छोटा च. देगी मिर्च या लाल मिर्च पाउडर

विधि

❶ प्रत्येक मशरुम को 4 पीसों में काट लें।

❷ 2 बड़े च. तेल, अदरक-लहसुन पेस्ट और मशरुम माईक्रोप्रूफ डिश में रखें। 3 मिनिट के लिए माईक्रोवेव करें। मशरुम डिश से निकालें और अलग रखें।

❸ पेस्ट - 1 की सभी सामग्री को मिक्सी में पीसकर पेस्ट बना लें।

❹ पेस्ट - 2 की सभी सामग्री को मिक्सी में पीसकर पेस्ट बना लें।

❺ मसाले के लिए प्याज़ वाली पेस्ट - 1 इसी माईक्रोप्रूफ डिश में रखें और 7 मिनिट के लिए माईक्रोवेव करें।

❻ टमाटर और मेथी वाली पेस्ट - 2 डालकर मिलायें और 7 मिनिट के लिए माईक्रोवेव करें।

❼ 2 कप पानी और मटर डालें। 6 मिनिट के लिए माईक्रोवेव करें।

❽ मशरुम डालें और 2 मिनिट के लिए माईक्रोवेव करें। गरम परोसें।

Murg Haryali

Green chicken curry prepared from spring onion greens, green chillies, coriander and mint.

Serves 4-5

INGREDIENTS

500 gms chicken - cut into 8 pieces
1 cup milk
2 tbsp lemon juice

GREEN PASTE

2 spring onions - chopped along with the green portion
4-5 green chillies
½ cup chopped coriander
½ cup mint (poodina) leaves
10 flakes garlic, 1½" ginger piece
2 tbsp oil
1 tsp jeera (cumin)
1½ tsp salt

METHOD

1. Grind together all the ingredients written under green paste to a smooth paste in a mixer.
2. In a microproof dish, put green paste and microwave for 5 minutes.
3. Add chicken. Mix well. Microwave covered for 6 minutes. Let it cool till serving time.
4. To serve, add milk and microwave for 3 minutes.
5. Mix lemon juice. Sprinkle some garam masala and chopped coriander. Serve hot.

व्यक्ति: 4-5

सामग्री

500 ग्राम चिकन - 8 टुकड़ों में काटें
1 कप दूध
2 बड़े च. नींबू का रस

हरा पेस्ट

2 हरे प्याज़ - हरे भाग के साथ काटें
4-5 हरी मिर्च
½ कप कटा हुआ हरा धनिया
½ कप पुदीने के पत्ते
10 कली लहसुन
1½" टुकड़ा अदरक
2 बड़े च. तेल
1 छोटा च. जीरा
1½ छोटा च. नमक

विधि

1. हरे पेस्ट में दी गई सभी सामग्री को मिक्सी में पीसकर पेस्ट बना लें।
2. माईक्रोप्रूफ डिश में हरा पेस्ट डालें और 5 मिनिट के लिए माईक्रोवेव करें।
3. चिकन डालें। अच्छे से मिलायें। ढ़क कर 6 मिनिट के लिए माईक्रोवेव करें। परोसने के समय तक ठण्डा करें।
4. परोसने के समय, दूध डालें और 3 मिनिट के लिए माईक्रोवेव करें।
5. नींबू मिलायें। थोड़ा सा गरम मसाला और कटा हुआ हरा धनिया छिड़कें। गरम परोसें।

Carrot Kofta Curry

Carrot balls stuffed with raisins in a simple, yet tasty curry.

Serves 4

INGREDIENTS

3 tbsp oil

2 onions - ground to a paste in a mixer

2 tomatoes - pureed in a mixer

2 tsp dhania powder, ¼ tsp haldi

¼ tsp garam masala

¼ tsp red chilli powder

KOFTE

2 carrots - grated

2 bread slices - break into pieces and grind to crumbs in a mixer

1 green chilli - chopped

1 tsp ginger paste, ½ tsp salt

¼ tsp of each - garam masala, amchoor and red chilli powder

2 tbsp yogurt/curd

8-10 kishmish

METHOD

❶ For the gravy, mix onion paste with oil, haldi, dhania powder, garam masala and red chilli powder in a deep microproof dish. Microwave for 8 minutes.

❷ Add pureed tomatoes. Microwave for 7 minutes.

❸ Add 1½ cups water. Microwave for 6 minutes. Keep aside.

❹ For the koftas, mix carrots with all ingredients of the koftas except yogurt and kishmish.

❺ Add yogurt. Mix well. Make 8 round balls with 1 kishmish stuffed in each. Place balls on a greased microproof plate in a ring and microwave for 3 minutes.

❻ At serving time, place koftas in a serving dish. Pour curry over them. Microwave for 2 minutes and serve.

व्यक्ति: 4

सामग्री

3 बड़े च. तेल

2 प्याज़ – मिक्सी में पीसकर पेस्ट बना लें

2 टमाटर – मिक्सी में पीस लें

2 छोटे च. धनिया पाउडर

¼ छोटा च. हल्दी

¼ छोटा च. गरम मसाला

¼ छोटा च. लाल मिर्च पाउडर

कोफ्ते

2 गाजर – कद्दूकस कर लें

2 ब्रेड स्लाईस – टुकड़ों में तोड़ लें और मिक्सी में पीसकर क्रम्बस् बना लें

1 हरी मिर्च – कटी हुई

1 छोटा च. अदरक पेस्ट

½ छोटा च. नमक

¼ छोटा च. (प्रत्येक का) गरम मसाला, अमचूर और लाल मिर्च

2 बड़े च. दही, 8-10 किशमिश

विधि

❶ ग्रेवी के लिए – प्याज़ पेस्ट, तेल, हल्दी, धनिया पाउडर, गरम मसाला और लाल मिर्च पाउडर गहरी माईक्रोप्रूफ डिश में मिलायें और 8 मिनिट के लिए माईक्रोवेव करें।

❷ पिसे हुए टमाटर डालें और 7 मिनिट के लिए माईक्रोवेव करें।

❸ 1½ कप पानी डालें और 6 मिनिट के लिए माईक्रोवेव करें। अलग रखें।

❹ कोफ्तों के लिए गाजर के साथ सारी कोफ्ते की सामग्री मिलायें, लेकिन दही और किशमिश छोड़ दें।

❺ दही डालकर अच्छे से मिलायें। 8 गोली बनायें और प्रत्येक में 1 किशमिश भरें। चिकनी की हुई माईक्रोप्रूफ डिश में कोफ्ते गोलाई में रखकर 3 मिनिट के लिए माईक्रोवेव करें।

❻ परोसने के समय कोफ्तों को सर्विंग डिश में रखें। ऊपर से ग्रेवी डालें और 2 मिनिट के लिए माईक्रोवेव करें।

Butter Chicken

Chicken in a red cashew based makhani gravy.

Serves 4

INGREDIENTS

1 medium sized chicken (800 gm) - cut into 12 pieces
juice of 1 lemon, ½ tsp chilli powder
1¼ tsp salt, or to taste

MARINADE

1 cup curd - hang for 30 minutes in a muslin cloth
2 tbsp thick malai or 2 tbsp cream
1 tbsp ginger- garlic paste
1 tbsp kasoori methi (dry fenugreek leaves)
few drops of orange red colour
½ tsp black salt, 1 tsp garam masala

PASTE

2" piece of ginger
10 flakes of garlis
2 cups readymade tomato puree
4 tbsp kaju (cashewnuts)
1 tsp garam masala, ½ tsp chilli powder
¼ tsp sugar or to taste
½ tsp salt

OTHER INGREDIENTS

1 cup milk, 2 tbsp cream
2 tbsp butter, 2-3 tbsp oil

METHOD

1. Wash, pat dry chicken. Prick all pieces with a fork on all sides.
2. Rub lemon juice, salt & chilli powder on the chicken and keep aside for ½ hour.
3. Mix all the ingredients of the marinade well. Add chicken and mix well. Keep aside for 3-4 hours in the fridge.
4. Set your microwave oven at 180°C using the oven (convection) mode and start to preheat.
5. Grease the wire rack or grill rack. Put chicken pieces on the greased rack and place it in hot oven. Place a tray covered with aluminium foil in the oven , underneath the chicken to collect the drippings.

व्यक्ति: 4

सामग्री

1 चिकन (800 ग्राम) - 12 टुकड़ों में काटें
1 नींबू का रस, ½ छोटा च. लाल मिर्च
1¼ छोटा च. नमक या स्वादानुसार

मेरिनेड्

1 कप दही - 30 मिनिट के लिए मलमल के कपड़े में बाँधकर लटका दें
2 बड़े च. गाढ़ी मलाई या 2 बड़े च. क्रीम
1 बड़ा च. अदरक-लहसुन पेस्ट
1 बड़ा च. कसूरी मेथी
कुछ बून्द ऑरेंज लाल रंग
½ छोटा च. काला नमक
1 छोटा च. गरम मसाला

पेस्ट

2" टुकड़ा अदरक, 10 कली लहसुन
2 कप रेडिमेड् टमॉटो प्यूरी
4 बड़े च. काजू, 1 छोटा च. गरम मसाला
½ छोटा च. लाल मिर्च, ½ छोटा च. नमक
¼ छोटा च. चीनी या स्वादानुसार

अन्य सामग्री

1 कप दूध, 2 बड़े च. क्रीम
2 बड़े च. मक्खन, 2-3 बड़े च. तेल

विधि

1. चिकन धोएँ और नेपकिन पर पोंछ लें। काँटे से अच्छे से सभी जगह गोद दें।
2. नींबू का रस, नमक और लाल मिर्च पाउडर चिकन पर रगड़ कर ½ घण्टे के लिए अलग रख दें।
3. मेरिनेड् की सभी सामग्री को अच्छे से मिलायें। चिकन डालकर मिलायें और 3-4 घण्टे फ्रीज में रखें।
4. अपने माईक्रोवेव ऑवन को 180°C तापमान पर सैट करके बटन दबाकर गरम करें।
5. वॉयर रेक या ग्रिल रेक को तेल से चिकना करें। चिकन के पीसों को चिकने रेक पर रखकर गरम ऑवन में रखें और रेक के नीचे वाली ट्रे को ऐल्यूमिनियम फॉईल से ढ़क दें। इससे चिकन का जो पानी टपकेगा वह ऑवन को गन्दा नहीं करेगा।

⑥ Re-set the preheated oven again at 180°C for 20 minutes. Cook the pieces for 20 minutes or till cooked. Remove from oven. Keep tandoori chicken aside.	⑥ दोबारा से गरम ऑवन को 180°C तापमान पर 20 मिनिट के लिए सैट करें। पीसों को 20 मिनिट के लिए या पकने तक ऑवन में रखें। निकालें और तन्दूरी चिकन एक तरफ रखें।
⑦ Grind all the ingredients of paste to a smooth paste in a mixer.	⑦ पेस्ट की सभी सामग्री को मिक्सी में पीसकर पेस्ट बना लें।
⑧ For gravy, put butter, oil and the prepared paste in a microproof bowl. Mix well and microwave for 8 minutes.	⑧ ग्रेवी के लिए मक्खन, तेल और तैयार पेस्ट माईक्रोप्रूफ बाउल में रखें। अच्छे से मिलायें और 8 मिनिट के लिए माईक्रोवेव करें।
⑨ Add about 1½ cups of water, mix and microwave for 6 minutes. Stir once inbetween.	⑨ लगभग 1½ कप पानी मिलायें और 6 मिनिट के लिए माईक्रोवेव में रखें। बीच में एक बार चलायें।
⑩ Add tandoori chicken. Cover and microwave for 3 minutes.	⑩ तन्दूरी चिकन डालकर 3 मिनिट के लिए ढक कर माईक्रोवेव करें।
⑪ Remove from oven and let it cool down till serving time.	⑪ ऑवन से निकालें, परोसने के समय तक ठण्डा करें।
⑫ Add milk and microwave for 2 minutes.	⑫ दूध डालें और 2 मिनिट के लिए माईक्रोवेव करें।
⑬ Add cream and garam masala. Mix and serve hot. Serve hot.	⑬ क्रीम और गरम मसाला डालें। मिलायें और गरम-गरम परोसें।

Punjabi Chicken Curry

Simple yet delicious!

Serves 4

INGREDIENTS

500 gm chicken - cut into pieces
¾ cup curd
3 tsp ginger-garlic paste
½ tsp red chilli powder, ½ tsp salt
2 tbsp chopped coriander

PASTE

3 onions
3 tomatoes
2 laung (cloves), 1 tsp salt
seeds of 1 moti illaichi (black cardamom)
seeds of 2 chhoti illaichi (green cardamom)
4 tbsp oil
3 tsp coriander (dhania) powder
½ tsp garam masala, ½ tsp degi mirch

METHOD

❶ Marinate chicken with curd, ginger garlic paste, red chilli powder, ½ tsp salt and chopped coriander. Keep aside for ½ hour.

❷ Grind all ingredients written under paste in a mixer to a smooth paste.

❸ In a microproof deep bowl put the prepared onion-tomato paste. Mix well. Microwave for 11 minutes.

❹ Add marinated chicken, mix well and microwave covered for 8 minutes.

❺ Add 1½ cups of water and microwave covered for 8 minutes.

❻ Sprinkle generously with garam masala and serve hot.

व्यक्तिः 4

सामग्री

500 ग्राम चिकन – टुकड़ों में काट लें
¾ कप दही
3 छोटे च. अदरक-लहसुन पेस्ट
½ छोटा च. लाल मिर्च पाउडर
½ छोटा च. नमक
2 बड़े च. कटा हुआ हरा धनिया

पेस्ट (एक साथ इकट्ठा पीसें)

3 प्याज़, 3 टमाटर, 2 लौंग
1 मोटी इलायची के बीज
2 छोटी इलायची के बीज
4 बड़े च. तेल
3 छोटे च. धनिया पाउडर
½ छोटा च. गरम मसाला
½ छोटा च. देगी मिर्च
1 छोटा च. नमक

विधि

❶ चिकन को दही, अदरक-लहसुन पेस्ट, लाल मिर्च पाउडर, ½ छोटा च. नमक और कटे हुए हरे धनिये के साथ मेरिनेट करें। ½ घण्टे के लिए अलग रखें।

❷ पेस्ट के नीचे दी गई सभी सामग्री को एक साथ पीसकर पेस्ट तैयार कर लें।

❸ माईक्रोप्रूफ गहरी डिश में तैयार पेस्ट डालकर और 11 मिनिट के लिए माईक्रोवेव करें।

❹ मेरिनेट किया हुआ चिकन डालकर अच्छे से मिलायें और ढक कर 8 मिनिट के लिए माईक्रोवेव करें।

❺ 1½ कप पानी डालें, ढक कर 8 मिनिट माईक्रोवेव करें।

❻ गरम मसाला छिड़कें और गरम परोसें।

Chicken Naveli

Curry powder and coconut milk lend a wonderful flavour to this curry.

Serves 4

INGREDIENTS

400 gms chicken - cut into 6 pieces

½" piece ginger and 3 flakes garlic- crushed to a paste (1 tsp paste)

5 spring onions - sliced diagonally till the greens

4 tbsp oil

1 onion - sliced

3 flakes of garlic - chopped

4 tbsp curry powder (MDH) - mixed with 6 tbsp water

2 cups coconut milk

or

6 tbsp or one packet (25 gm) coconut powder (maggi) mixed with 1 cup milk and 1 cup water

1 tsp salt or to taste

METHOD

1. Crush ginger and garlic to a paste.
2. Diagonally slice spring onions up till the greens.
3. Put oil, sliced onion, chopped garlic, white of spring onions and curry powder in a microproof dish. Microwave for 5 minutes.
4. Add chicken and ginger-garlic paste. Mix well and microwave covered for 8 minutes.
5. Add the prepared coconut milk and 1 tsp salt or to taste. Microwave for 6 minutes.
6. Add the greens of spring onions. Keep aside till serving time.
7. At serving time, microwave for 2 minutes and serve hot with steamed rice.

व्यक्तिः 4

सामग्री

400 ग्राम चिकन – 6 टुकड़ों में काट लें

½" टुकड़ा अदरक और 3 कली लहसुन – दरदरी पीस लें (1 छोटा च. पेस्ट)

5 हरे प्याज़ – हरे भाग के साथ तिरछा काट लें

4 बड़े च. तेल

1 प्याज़ – स्लाईस काट लें

3 कली लहसन – कटी हुई

4 बड़े च. करी पाउडर (एम डी एच) – 6 बड़े च. पानी के साथ मिलायें

या

6 बड़े च. या 1 पैकेट (25 ग्राम) नारियल पाउडर को 1 कप दूध और 1 कप पानी के साथ मिलायें

1 छोटा च. नमक या स्वादानुसार

विधि

1. पेस्ट के लिए अदरक और लहसुन को पीस लें।
2. हरे प्याज़ को हरे भाग तक तिरछा काट लें।
3. माईक्रोप्रूफ गहरी डिश में तेल, प्याज़ के स्लाईस, कटा हुआ लहसुन, हरे प्याज़ का सफेद भाग और करी पाउडर डालें। 5 मिनिट के लिए माईक्रोवेव करें।
4. चिकन और अदरक-लहसुन पेस्ट डालें। मिलायें और ढ़क कर 8 मिनिट के लिए माईक्रोवेव करें।
5. नारियल पाउडर से बनाया गया दूध और 1 छोटा च. नमक या स्वादानुसार डालें और 6 मिनिट माईक्रोवेव करें।
6. हरे प्याज़ का हरा भाग डालें। परोसने के समय तक अलग रखें।
7. परोसने के समय 2 मिनिट माईक्रोवेव करें और उबले चावल के साथ परोसें।

Chicken Degi

A bright red chicken curry prepared from Kashmiri mirch.

Serves 5

INGREDIENTS

500 gms chicken - cut into 1" pieces
3 onions - sliced finely (1½ cups)
1½ tsp degi lal mirch powder
½ tsp fennel seeds (saunf) - crushed
6 tbsp oil
4 tomatoes - pureed in a mixer
1 tsp garam masala
1½ tsp salt, or to taste
½ tsp pepper
2 tbsp dry fenugreek leaves (kasoori methi)
seeds of 3 green cardamoms (2 chhoti illaichi)- crushed
2½ cups water

METHOD

1. Put sliced onions, degi mirch, saunf and 3 tbsp oil in a microproof dish. Mix well. Microwave for 10 minutes.
2. Add the pureed tomatoes, garam masala, salt, pepper, kasoori methi and crushed seeds of chhoti illaichi. Mix well. Microwave for 8 minutes.
3. Add chicken and mix very well. Microwave covered for 8 minutes.
4. Add 2½ cups water, microwave covered for 9 minutes. Stir once inbetween. Serve hot.

व्यक्ति: 5

सामग्री

500 ग्राम चिकन - 1" टुकड़ों में कटा हुआ
3 प्याज़ - स्लाईस में काट लें (1½ कप)
1½ छोटा च. देगी लाल मिर्च पाउडर
½ छोटा च. सौंफ - दरदरी पीस लें
6 बड़े च. तेल
4 टमाटर - मिक्सी में प्यूरी कर लें
1 छोटा च. गरम मसाला
1½ छोटा च. नमक या स्वादानुसार
½ छोटा च. काली मिर्च
2 बड़े च. कसूरी मेथी
3 छोटी इलायची के बीज - दरदरे पीस लें
2½ कप पानी

विधि

1. प्याज़ के स्लाईस, देगी मिर्च, सौंफ और 3 बड़े च. तेल माईक्रोवेव डिश में रखें। अच्छे से मिलायें। 10 मिनिट के लिए माईक्रोवेव करें।
2. टमाटर की प्यूरी, गरम मसाला, नमक, काली मिर्च, कसूरी मेथी और दरदरी पिसे छोटी इलायची के बीज डालें। अच्छे से मिलायें और 8 मिनिट के लिए माईक्रोवेव करें।
3. चिकन डालें और अच्छे से मिलायें, 8 मिनिट के लिए ढ़क कर माईक्रोवेव करें।
4. 2½ कप पानी डालें और 9 मिनिट के लिए ढ़क कर माईक्रोवेव करें। बीच में एक बार चलायें। गरम-गरम परोसें।

Mutton Koftas in Creamy Sauce

Minced meat balls in tomato sauce.

Gives 10-12 koftas

INGREDIENTS

KOFTA

500 gm keema (mutton mince)

1 tbsp ginger paste, 1 tbsp garlic paste

3-4 green chillies - chopped finely

1 tsp garam masala

3 slices bread, 1 egg

1¼ tsp salt, or to taste

¼ cup chopped fresh coriander leaves

GARNISHING

some fresh chopped coriander

CREAMY TOMATO SAUCE

5 large tomatoes

2½" piece ginger, 1 tsp salt

1 tsp red chilli powder, 1 tsp jeera powder

1 cup malai or cream

a pinch of orange red colour

METHOD

1. To prepare the tomato sauce, blend tomatoes, ginger, salt, chilli powder and jeera in a mixer to a puree.
2. In the dish, add the above tomato puree and microwave covered for 10 minutes.
3. Add cream & a little orange colour. Mix well & keep the creamy tomato sauce aside.
4. To make koftas, soak bread in water, squeeze and crumble.
5. Mix all ingredients of the kofta with the bread. Make into balls.
6. Place balls on a plate in a ring. Microwave uncovered for 5 minutes. Change sides of koftas, inbetween, after 2-3 minutes.
7. Add koftas to the tomato sauce in the dish. Microwave covered for 4 minutes.
8. Let stand for 2-3 minutes. Serve hot garnished with fresh coriander.

बनायें: 10-12 कोफ्ते

सामग्री

कोफ्ता

500 ग्राम कीमा

1 बड़ा च. अदरक पेस्ट, 1 बड़ा च. लहसुन पेस्ट

3-4 हरी मिर्च – बारीक कटी हुई

1 छोटा च. गरम मसाला

3 ब्रेड स्लाईस, 1 अण्डा

1¼ छोटा च. नमक या स्वादानुसार

¼ कप कटा हुआ हरा धनिया

सजाने के लिए

थोड़ा सा कटा हुआ हरा धनिया

क्रीमी टमॉटो सॉस

5 बड़े टमाटर

2½" टुकड़ा अदरक, 1 छोटा च. नमक

1 छोटा च. लाल मिर्च, 1 छोटा च. जीरा पाउडर

1 कप मलाई या क्रीम

चुटकी भर ऑरेंज लाल रंग

विधि

1. टमॉटो सॉस के लिए टमाटर, अदरक, नमक, लाल मिर्च पाउडर और जीरा मिक्सी में डालकर प्यूरी बनायें।
2. डिश में टमॉटो प्यूरी डालें और 10 मिनिट के लिए ढक कर माईक्रोवेव करें।
3. क्रीम और थोड़ा सा ऑरेंज लाल रंग डालें। अच्छे से मिलायें और क्रीमी टमॉटो सॉस को अलग रखें।
4. कोफ्ते बनाने के लिए ब्रेड को पानी में भिगोएँ और निचोड़ कर क्रम्ब्स करें।
5. कोफ्ते की सभी सामग्री को ब्रेड के साथ मिलाकर गोल कोफ्ते बना लें।
6. कोफ्तों को प्लेट में गोलाई में रखकर 5 मिनिट के लिए बिना ढके माईक्रोवेव करें। 2-3 मिनिट बाद बीच में कोफ्तों को पलट दें।
7. कोफ्तों को टमॉटो सॉस में डालें। 4 मिनिट के लिए ढक कर माईक्रोवेव करें।
8. 2-3 मिनिट के लिए रखें। ताज़ा हरे धनिये के साथ सजाकर गरम परोसें।

Ghiya-Channe ki Dal

Split Bengal gram cooked with bottle gourd and tempered to perfection.

Serves 4

INGREDIENTS

¾ cup channe ki dal (split gram) - washed & soaked for ½ hour

½ small (200 gms) ghiya (bottle gourd) - peeled & chopped

1 tsp salt

½ tsp haldi (turmeric powder)

2 tsp desi ghee or oil

½ tsp red chilli powder

TOMATO-ONION BAGHAR

3 tbsp oil

1 tsp cumin seeds (jeera)

1 onion - finely sliced

1 tomato - finely chopped

2 tbsp chopped coriander

2 green chillies

1 tsp dhania powder

½ tsp garam masala, ½ tsp amchoor

½ tsp red chilli powder

METHOD

❶ Pick, clean & wash dal. Soak for ½ hour.

❷ Drain water from dal. Mix dal, ghiya, salt, haldi, desi ghee, red chilli powder and 2 cups water in a deep bowl. Microwave covered for 6 minutes.

❸ Stir once inbetween. Remove cover and microwave for 20 minutes or till dal turns soft. Mash lightly. Cover and keep aside.

❹ For the baghar, mix oil with jeera in a microproof dish. Microwave for 2 minutes. Add onions and microwave for 4 minutes till golden.

❺ Add tomato, coriander and whole green chillies and all the masalas. Microwave for 3 minutes. Pour over the hot cooked dal. Mix gently. Serve hot.

व्यक्ति: 4

सामग्री

¾ कप चने की दाल – धोएँ और ½ घण्टे के लिए भिगो दें

½ छोटा (200 ग्राम) घिया – छीलें और काट लें

1 छोटा च. नमक

½ छोटा च. हल्दी

2 छोटे च. देसी घी या तेल

½ छोटा च. लाल मिर्च पाउडर

टमाटर–प्याज़ बघार

3 बड़े च. तेल

1 छोटा च. जीरा

1 प्याज़ – बारीक स्लाईस कटे हुए

1 टमाटर – बारीक कटा हुआ

2 बड़े च. कटा हुआ हरा धनिया

2 हरी मिर्च

1 छोटा च. धनिया पाउडर

½ छोटा च. गरम मसाला, ½ छोटा च. अमचूर

½ छोटा च. लाल मिर्च पाउडर

विधि

❶ दाल को साफ करें और धोकर ½ घण्टे के भिगो दें।

❷ दाल का पानी फेंक दें। दाल, घिया, नमक, हल्दी, देसी घी, लाल मिर्च पाउडर और 2 कप पानी गहरी बाउल में डालें। ढ़क कर 6 मिनिट के लिए माईक्रोवेव करें।

❸ बीच में एक बार चलायें। ढ़क्कन हटाएँ और 20 मिनिट के लिए माईक्रोवेव करें या दाल नरम होने तक रखें। थोड़ा सा मैश करें। ढ़कें और अलग रखें।

❹ बघार के लिए तेल और जीरा माईक्रोप्रूफ डिश में मिलायें। 2 मिनिट के लिए माईक्रोवेव करें। प्याज़ डालें और सुनहरा होने तक 4 मिनिट के लिए माईक्रोवेव करें।

❺ टमाटर, धनिया, साबुत हरी मिर्च और सारे मसाले डालें। 3 मिनिट के लिए माईक्रोवेव करें। पकी हुई दाल के ऊपर डालें। धीरे से मिलायें। गरम परोसें।

Makai-Mirch Salan

Baby corn and green chillies in a red gravy flavoured with cumin and mustard seeds.

Serves 4-5

INGREDIENTS

5-6 big acchari hari mirch

200 gm babycorns - keep whole if small or cut into 2 pieces if big, 1 tbsp vinegar

3 tbsp oil

1 tsp jeera (cumin seeds)

½ tsp mustard seeds (rai)

a few curry leaves

2 onions - chopped finely

2 tsp coriander (dhania) powder

1 tsp salt, ¼ tsp red chilli powder

½ tsp dry mango powder (amchoor)

¼ tsp garam masala

1½ cups readymade tomato puree

1 tsp ginger paste

3 tbsp roasted peanuts

1 cup water, ¾ cup milk

METHOD

❶ Slit the mirch and remove seeds. Sprinkle ½ tsp salt and 1 tbsp vinegar. Rub well and keep aside for 15 minutes. Wash and pat dry on a kitchen towel.

❷ Churn peanuts with ¼ cup milk in a mixer to get a paste. Keep aside.

❸ In a microproof dish put oil, jeera, rai, curry leaves, chopped onions, dhania powder, salt, red chilli powder, amchoor & garam masala. Mix well. Microwave for 8 minutes.

❹ Add mirchi, baby corns, redymade tomato puree and ginger paste. Microwave for 6 minutes.

❺ Add prepared peanut paste and 1 cup water. Mix well. Microwave for 5 minutes. Stir well.

❻ Add ½ cup milk. Microwave for 1 minute. Serve hot.

व्यक्तिः 4-5

सामग्री

5-6 बड़ी अचारी हरी मिर्च

200 ग्राम बेबी कॉर्न – छोटे साबुत रखें या बड़े होने पर 2 पीसों में काट लें

1 बड़ा च. सिरका, 3 बड़े च. तेल

1 छोटा च. जीरा

½ छोटा च. राई

कुछ करी पत्ते

2 प्याज़ – बारीक कटी हुई

2 छोटे च. धनिया पाउडर

1 छोटा च. नमक

¼ छोटा च. लाल मिर्च पाउडर

½ छोटा च. अमचूर

¼ छोटा च. गरम मसाला

1½ कप रेडिमेड् टमॉटो प्यूरी

1 छोटा च. अदरक पेस्ट

3 बड़े च. भूनी हुई मूंगफली

1 कप पानी, ¾ कप दूध

विधि

❶ मिर्च को चीर लगाएँ और बीज निकाल दें। ½ छोटा च. नमक और 1 बड़ा च. सिरका छिड़क दें। अच्छे से रगड़ें और 15 मिनिट के लिए अलग रखें। धोएँ और रसोई के तौलिये से पोंछ लें।

❷ मूंगफली को ¼ कप दूध के साथ मिक्सी में पीसकर पेस्ट बना लें। अलग रखें।

❸ माईक्रोप्रूफ डिश में तेल, जीरा, राई, करी पत्ते, कटी हुई प्याज़, धनिया पाउडर, नमक, लाल मिर्च पाउडर, अमचूर और गरम मसाला डालें। अच्छे से मिलायें और 8 मिनिट के लिए माईक्रोवेव करें।

❹ मिर्ची, बेबी कॉर्न, रेडिमेड् टमॉटो प्यूरी और अदरक पेस्ट डालें। 6 मिनिट के लिए माईक्रोवेव करें।

❺ तैयार मूंगफली का पेस्ट और 1 कप पानी डालें। अच्छे से मिलायें और 5 मिनिट के लिए माईक्रोवेव करें। अच्छे से चलायें।

❻ ½ कप दूध डालें, 1 मिनिट के लिए माईक्रोवेव करें। गरम परोसें।

Water Melon Curry

An unusual thin, spicy curry which is delicious when served with rice.

Serves 4

INGREDIENTS

4 cups of tarbooz (water melon) - cut into 1"
pieces along with a little white portion also, and
deseeded

4-5 flakes garlic - crushed

½ tsp salt, or to taste

2 tsp lemon juice

2 tbsp oil

½ tsp jeera (cumin seeds)

a pinch of hing (asafoetida)

1 tbsp ginger - cut into thin match sticks

½ tsp dhania (coriander) powder

½ - ¾ tsp red chilli powder

a pinch of haldi (turmeric) powder

GARNISH

chopped green chillies & coriander

METHOD

❶ Puree 1½ cups of water melon cubes (the upper soft pieces) with 4-5 flakes of garlic, salt and lemon juice to get about 1 cup of water melon puree. Leave the remaining firm, lower pieces (with the white portion) as it is. Keep aside.

❷ Put oil, jeera, hing, ginger, coriander powder, red chilli powder and haldi in a microproof dish. Mix well. Microwave for 2 minutes.

❸ Add the remaining water melon pieces or cubes and stir to mix.

❹ Add the prepared puree and microwave for 5 minutes. Remove from microwave.

❺ Garnish with green chillies and green coriander. Serve hot with boiled rice.

व्यक्तिः 4

सामग्री

4 कप तरबूज़ – थोड़ा सा सफेद भाग समेत
1" टुकड़ों में काट लें और बीज निकाल दें

4-5 कली लहसुन – दरदरी पीस लें

½ छोटा च. नमक या स्वादानुसार

2 छोटे च. नींबू का रस

2 बड़े च. तेल

½ छोटा च. जीरा, चुटकी भर हींग

1 बड़ा च. अदरक – पतली माचिस की तीली
जैसे काट लें

½ छोटा च. धनिया पाउडर

½ - ¾ छोटा च. लाल मिर्च पाउडर

चुटकी भर हल्दी पाउडर

सजाने के लिए

हरी मिर्च और धनिया कटा हुआ

विधि

❶ 1½ कप तरबूज़ के लाल नरम टुकड़े, 4-5 कली लहसुन, नमक और नींबू का रस एक साथ पीसकर प्यूरी बना लें। लगभग 1 कप तरबूज़ की प्यूरी होनी चाहिए। बचे हुए सफेद भाग समेत तरबूज़ को ऐसे ही अलग रखें।

❷ तेल, जीरा, हींग, अदरक, धनिया पाउडर, लाल मिर्च पाउडर और हल्दी माईक्रोप्रूफ डिश में रखें। अच्छे से मिलायें और 2 मिनिट के लिए माईक्रोवेव करें।

❸ बचे हुए तरबूज़ के पीस डालकर मिला लें।

❹ तैयार की हुई प्यूरी डालें और 5 मिनिट के लिए माईक्रोवेव करें। माईक्रोवेव से निकालें।

❺ हरी मिर्च और हरे धनिये के साथ सजायें। उबले हुए चावल के साथ गरम परोसें।

Pista Murg

Chicken in a pistachio based green gravy.

Serves 4

INGREDIENTS

400 gm chciken - cut into 1" pieces

2 medium sized onions - cut into 4 pieces

¼ cup pistas (pistachio nuts) with the hard cover on - remove hard cover

½ cup milk

PASTE (GRIND TOGETHER)

1 green chilli - roughly chopped

¼ cup chopped fresh coriander

1" ginger piece, 4-5 flakes garlic

1 tbsp dhania powder (ground coriander)

½ tsp white pepper powder

¾ tsp salt, or to taste, 3 tbsp oil

METHOD

❶ Put 1 tbsp oil and chicken in a microproof bowl. Mix well and grill for 8 minutes.

❷ Peel & cut each onion into 4 pieces. Put onion pieces and pistas in 1 cup water in a microproof dish and microwave covered for 6 minutes. Cool slightly. Slip the skin of pistas.

❸ Grind boiled onion pieces and the green pistas along with the water, and all the other ingredients written under paste to a fine green paste.

❹ Put prepared paste in a microproof dish and microwave for 5 minutes.

❺ Add ½ cup water, a small pinch of sugar and chicken and microwave for 3 minutes. Keep aside till serving time.

❻ At serving time, add ½ cup milk or slightly more to get a thick gravy. Microwave for 2 minutes. Serve hot.

व्यक्तिः 4

सामग्री

400 ग्राम चिकन – 1" टुकड़ों मे काट लें

2 मध्यम साईज़ के प्याज़ – 4 टुकड़ों मे काट लें

¼ कप मोटे छिलके समेत नमकीन पिस्ता – ऊपरी मोटा छिलका उतार लें

½ कप दूध

पेस्ट (एक साथ इकड्ठा पीस लें)

1 हरी मिर्च – काट लें

¼ कप ताज़ा कटा हुआ धनिया

1" टुकड़ा अदरक, 4-5 कली लहसुन

1 बड़ा च. धनिया पाउडर

½ छोटा च. सफेद काली मिर्च पाउडर

¾ छोटा च. नमक या स्वादानुसार

3 बड़े च. तेल

विधि

❶ 1 बड़ा च. तेल और चिकन को माईक्रोप्रूफ डिश में रखें। अच्छे से मिलायें और 8 मिनिट के लिए ग्रिल करें।

❷ प्याज़ को छीलें और प्रत्येक को 4 टुकड़ों में काट लें। प्याज़ के पीस और पिस्ता 1 कप पानी में माईक्रोप्रूफ डिश में रखें और 6 मिनिट के लिए ढ़क कर माईक्रोवेव करें। पिस्ते के अन्दर का पतला छिलका उतार लें।

❸ उबले हुए प्याज़ के पीस, पिस्ते पानी समेत और पेस्ट के नीचे दी गई सभी सामग्री को एक साथ बारीक पीसकर हरा पेस्ट बना लें।

❹ तैयार पेस्ट को माईक्रोप्रूफ डिश में रखें और 5 मिनिट के लिए माईक्रोवेव करें।

❺ ½ कप पानी, चुटकी भर चीनी और चिकन डालकर 3 मिनिट के लिए माईक्रोवेव करें। परोसने के समय तक अलग रखें।

❻ परोसने के समय, ½ कप दूध या थोड़ा और दूध डालकर गाढ़ी ग्रेवी बना लें। 2 मिनिट के लिए माईक्रोवेव करें। गरम परोसें।

Mixed Veggie Curry

Seasonal vegetables in a red tomato based gravy flavoured with cloves and cardamoms.

Serves 4

INGREDIENTS

¼ of a small cauliflower - cut into 8 small ½"
florets

1 carrot - cut into thin round slices

10 french beans - cut into ½" pieces

1 capsicum - cut into ½" cubes

50 gm paneer - cut into ½" cubes

¾ cup ready made tomato puree

1½ tsp salt, or to taste

1½ cups milk (cold)

GRIND TO A PASTE

2 onions, 2 tbsp ghee or oil

½ " piece ginger, 3-4 flakes garlic

2 laung (cloves)

seeds of 1 chhoti illaichi

1 tsp dhania powder

¾ tsp jeera - crushed to a powder

½ tsp garam masala powder

¼-½ tsp red chilli powder

METHOD

❶ Cut all the vegetables into ½" pieces. Wash cauliflower, carrots and beans. Microwave together on high for 3 minutes in a plastic bag or a covered dish. Keep aside.

❷ Grind together all ingredients of the paste. Put onion paste in the dish. Micro high uncovered for 8 minutes.

❸ Add tomato puree, salt, all microwaved vegetables and capsicum. Mix well.

❹ Microwave for 4 minutes.

❺ Add paneer and milk. Mix well. Keep aside till serving time.

❻ To serve, microwave for 3 minutes.

व्यक्ति: 4

सामग्री

½ छोटी फूल गोभी – 8 छोटे टुकड़ों में
काट लें (छोटे ½" टुकड़े)

1 गाजर – पतले गोल स्लाईस में काटे लें

10 फ्रांस बीन – ½" पीसों में काट लें

1 शिमला मिर्च – ½" टुकड़ों में काट लें

50 ग्राम पनीर – ½" टुकड़ों में काट लें

¾ कप रेडिमेड् टमॉटो प्यूरी

1½ छोटा च. नमक या स्वादानुसार

1½ कप दूध – ठण्डा

पीसकर पेस्ट बनायें

2 प्याज़, 2 बड़े च. घी/तेल

½" टुकड़ा अदरक, 3-4 कली लहसुन

2 लौंग

1 छोटी इलायची

1 छोटा च. धनिया पाउडर

¾ छोटा च. जीरा – दरदरा पीस लें

½ छोटा च. गरम मसाला

¼-½ छोटा च. लाल मिर्च पाउडर

विधि

❶ सभी सब्ज़ियों को ½" पीसों में काट लें। फूल गोभी, गाजर और बीन को धोएँ। प्लास्टिक बेग या डिश में ढक कर, 3 मिनिट के लिए माईक्रोवेव करें। अलग रखें।

❷ पेस्ट की सभी सामग्री को एक साथ पीस लें। प्याज़ का पेस्ट डिश में रखें। बिना ढके 8 मिनिट के लिए माईक्रोवेव करें।

❸ टमॉटो प्यूरी, नमक, माईक्रोवेव की हुई सभी सब्ज़ियाँ और शिमला मिर्च डालें। अच्छे से मिलायें।

❹ 4 मिनिट के लिए माईक्रोवेव करें।

❺ पनीर और दूध डालें। अच्छे से मिलायें। परोसने के समय तक अलग रखें।

❻ परोसते समय 3 मिनिट के लिए माईक्रोवेव करें।

Murg Lahori

Chicken in a rich white, saffron flavoured gravy.

Serves 4

INGREDIENTS

500 gm chicken with bones - cut into 8 pieces, 2 tbsp oil

1 cup curd - hang in a muslin cloth for 15 minutes

1½ tbsp kasoori methi (dried fenugreek leaves)

1 cup milk

¼ tsp saffron (kesar) - soaked in 1 tbsp warm water

PASTE

2 onions

1 green chilli

4 tbsp oil

6 flakes garlic, 1½" piece ginger

½ tsp garam masala

1½ tsp salt

1 tsp white pepper (adjust to taste)

METHOD

❶ To cook chicken, put the chicken in a bowl. Add oil and mix well. Place on a wire rack. Grill for 10 minutes. Keep chicken aside.

❷ Grind together all ingredients of the paste to a smooth paste in a mixer.

❸ Put paste in a microproof dish and microwave for 6 minutes.

❹ Add hung curd and kasoori methi. Mix very well.

❺ Add grilled chicken, 1 cup milk, ½ cup water and soaked kesar. Mix well to coat the chicken with the white masala. Microwave for 3 minutes. Serve hot.

व्यक्तिः 4

सामग्री

500 ग्राम हड्डी वाला चिकन – 8 टुकड़ों मे काट लें, 2 बड़े च. तेल

1 कप दही – मलमल के कपड़े में बाँधकर 15 मिनिट के लिए लटका दें

1½ बड़ा च. कसूरी मेथी

1 कप दूध

¼ छोटा च. केसर – 1 बड़े च. गरम पानी में भिगो दें

पेस्ट

2 प्याज़

1 हरी मिर्च

4 बड़े च. तेल

6 कली लहसुन

1½" टुकड़ा अदरक

½ छोटा च. गरम मसाला

1½ छोटा च. नमक

1 छोटा च. सफेद काली मिर्च

विधि

❶ चिकन पकाने के लिए बाउल में रखें। तेल डालें और अच्छे से मिलायें। वॉयर रेक पर रखें, 10 मिनिट के लिए ग्रिल करें। चिकन को अलग रखें।

❷ पेस्ट की सभी सामग्री को एक साथ इकड्ढा मिक्सी में पीस लें।

❸ पेस्ट को माईक्रोप्रूफ डिश में रखें और 6 मिनिट के लिए माईक्रोवेव करें।

❹ लटकी हुई दही और कसूरी मेथी डालें। अच्छे से मिलायें।

❺ ग्रिल किया हुआ चिकन, 1 कप दूध, ½ कप पानी और भीगी हुई केसर डालें। अच्छे से चिकन को मसालों में मिला दें। 3 मिनिट के लिए माईक्रोवेव करें। गरम परोसें।

Special Sambar

Picture on page 27

The pulse is blended in a mixer to get a smooth and creamy sambhar.

Serves 4

INGREDIENTS

½ cup arhar dal (red gram dal)

100 gm pumpkin or 2 small brinjals or any other vegetable of your choice - chopped (1 cup)

lemon sized ball of imli (tamarind)

1½ tsp salt or to taste

¼ tsp hing powder (asafoetida)

2 tbsp sambhar powder

1 tbsp oil

1 onion - sliced

½ tsp sarson (mustard seeds)

¼ cup curry leaves

tiny piece of gur (jaggery) - optional

METHOD

❶ Put dal in a microproof bowl. Add 1 cup water and microwave covered for 5 minutes. Remove the cover & microwave for 5 more minutes or till dal turns soft. Cool. Add ½ cup water. Mix. Blend in a mixer to a puree.

❷ Microwave imli in ½ cup water for 2 minutes. Extract the juice. Add 1 more cup water to the left over imli & mash well. Extract more juice. Keep imli juice aside.

❸ Put oil, curry leaves, sarson, sambhar powder and onions in a deep microproof bowl. Mix well. Microwave for 5 minutes.

❹ Add the chopped vegetables, salt, pureed dal and imli paani. Cover and microwave for 6 minutes.

❺ Add 2 cups water and microwave for 8 minutes. Serve hot.

व्यक्तिः 4

सामग्री

½ कप अरहर दाल

100 ग्राम कद्दू या 2 छोटे बैंगन या अपनी पसंद की कोई भी सब्ज़ी – कटी हुई (1 कप)

नींबू के बराबर का इमली का गोला

1½ छोटा च. नमक या स्वादानुसार

¼ छोटा च. हींग पाउडर

2 बड़े च. सांभर पाउडर

1 बड़ा च. तेल

1 प्याज़ – स्लाईस में काट लें

½ छोटा च. सरसों

¼ कप करी पत्ते

एक छोटा टुकड़ा गुड़ – ऐच्छिक

विधि

❶ माईक्रोप्रूफ बाउल में दाल और 1 कप पानी डालें। ढ़क कर 5 मिनिट के लिए माईक्रोवेव करें। ढ़क्कन हटायें और 5 मिनिट और माईक्रोवेव करें या दाल नरम होने तक रखें। ठण्डा करें। ½ कप पानी डालकर मिलायें। मिक्सी में पीसकर प्यूरी बना लें।

❷ ½ कप पानी में इमली डालें और 2 मिनिट के लिए माईक्रोवेव करें। रस निकालें। बची हुई इमली में 1 कप पानी और डालकर रस निकालें। इमली के रस को अलग रखें।

❸ तेल, करी पत्ते, सरसों, सांभर पाउडर और प्याज़ गहरी माईक्रोप्रूफ बाउल में रखें। अच्छे से मिलायें और 5 मिनिट के लिए माईक्रोवेव करें।

❹ कटी हुई सब्ज़ी, नमक, दाल की प्यूरी और इमली पानी डालें। ढ़कें और 6 मिनिट के लिए माईक्रोवेव करें।

❺ 2 कप पानी डालें और 8 मिनिट के लिए माईक्रोवेव करें। गरम परोसें।

Khoya Matar

Peas combine with crumbly dried whole milk to give a rich dish.

Serves 4

INGREDIENTS

200 gms khoya - mashed roughly or crumbled

2 cups shelled peas

4 tbsp oil or desi ghee

¾ cup ready made tomato puree

1 tsp red chilli powder

1 tsp jeera (cumin) powder

¾ tsp garam masala powder

6-8 cashewnuts - split into 2 pieces

1 tsp salt, or to taste

GRIND TOGETHER (ONION PASTE)

2 onions

2 dry, red chillies

1" piece ginger

METHOD

❶ In a dish, mix oil and onion paste. Microwave for 8 minutes.

❷ Add tomato puree, garam masala, red chilli powder, jeera powder, peas and ¼ cup water. Mix well.

❸ Microwave for 4 minutes.

❹ Add salt, khoya and ½ cup water. Mix gently so as not to mash the khoya. Sprinkle cashew halves.

❺ Microwave for 3 minutes. Serve hot.

व्यक्तिः 4

सामग्री

200 ग्राम खोया – दरदरा मैश करें या चूरा कर लें

2 कप मटर

4 बड़े च. तेल या देसी घी

¾ कप रेडिमेड् टमॉटो प्यूरी

1 छोटा च. लाल मिर्च पाउडर

1 छोटा च. जीरा पाउडर

¾ छोटा च. गरम मसाला पाउडर

6-8 काजू – 2 टुकड़ों मे काट लें

1 छोटा च. नमक या स्वादानुसार

एक साथ इकड्ठा पीस लें (प्याज़ पेस्ट)

2 प्याज़

2 सूखी, लाल मिर्च

1" टुकड़ा अदरक

विधि

❶ डिश में तेल और प्याज़ पेस्ट मिलायें। 8 मिनिट के लिए माईक्रोवेव करें।

❷ टमॉटो प्यूरी, गरम मसाला, लाल मिर्च पाउडर, जीरा पाउडर, मटर और ¼ कप पानी डालें। अच्छे से मिलायें।

❸ 4 मिनिट के लिए माईक्रोवेव करें।

❹ नमक, खोया और ½ कप पानी डालें। धीरे से मिलायें। काजू के आधे टुकड़े छिड़क दें।

❺ 3 मिनिट के लिए माईक्रोवेव करें। गरम परोसें।

Badami Seekh Curry

Roundels of seekh kebabs in an almond flavoured gravy.

Serves 4

INGREDIENTS

300 gms ready-made seekh kebabs - cut into
½"-¾" thick slices

1 cup milk

1 cup water

ONION PASTE (GRIND TOGETHER)

1 onion

8 flakes of garlic, 1" piece ginger

2 tbsp badam (almonds)

seeds of 2 chhoti illaichi, 2 laung

3 tbsp oil, ¼ tsp jeera (cumin seeds)

OTHER INGREDIENTS

1 tomato - chopped

1 cup ready-made tomato puree

½ tsp Kashmiri laal mirch or degi mirch

pinch of sugar

½ tsp salt, ¼ tsp garam masala

¾ tsp chicken masala

METHOD

❶ Put the prepared onion paste in a big microproof dish. Microwave for 4 minutes.

❷ Add chopped tomato and the tomato puree, and all the other ingredients. Mix well. Microwave for 6 minutes.

❸ Add 1 cup of water, mix well and microwave for 5 minutes.

❹ Add milk, mix well and microwave for 2 minutes. Stir. Check salt and keep gravy aside.

❺ Mix seekh pieces with 1 tbsp oil. Grill the seekh pieces for 12 minutes, overturning once after 6 minutes.

❻ At serving time, add cooked seekh pieces to the gravy. Add more milk if the gravy appears thick. Check salt. Microwave for 2 minutes.

व्यक्तिः 4

सामग्री

300 ग्राम सीख कबाब – ½" - ¾" मोटे स्लाईसों में काट लें

1 कप दूध, 1 कप पानी

प्याज़ का पेस्ट

1 प्याज़, 8 कली लहसुन

1" टुकड़ा अदरक

2 बड़े च. बादाम, 2 छोटी इलायची के बीज

2 लौंग

3 बड़े च. तेल, ¼ छोटा च. जीरा

अन्य सामग्री

1 टमाटर - कटा हुआ

1 कप रेडिमेड् टमॉटो प्यूरी

½ छोटा च. कश्मीरी लाल मिर्च या देगी मिर्च, चुटकी भर चीनी

½ छोटा च. नमक

¼ छोटा च. गरम मसाला

¾ छोटा च. चिकन मसाला

विधि

❶ प्याज़ का तैयार किया पेस्ट बड़ी माईक्रोप्रूफ डिश में रखें और 4 मिनिट के लिए माईक्रोवेव करें।

❷ कटा हुआ टमाटर और टमॉटो प्यूरी और बाकी की अन्य सामग्री डालें। अच्छे से मिलायें और 6 मिनिट के लिए माईक्रोवेव करें।

❸ 1 कप पानी डालकर अच्छे से मिलायें और 5 मिनिट के लिए माईक्रोवेव करें।

❹ दूध डालें और अच्छे से मिलायें और 2 मिनिट के लिए माईक्रोवेव करें। नमक देखें और ग्रेवी अलग रखें।

❺ 1 बड़ा च. तेल के साथ सीख के पीसों को मिला दें। 12 मिनिट के लिए सीख के पीस ग्रिल करें और बीच में 6 मिनिट के बाद पलट दें।

❻ परोसने के समय पकी हुई सीख ग्रेवी में डालें। यदि ग्रेवी गाढ़ी लगे तो थोड़ा और दूध डालें। नमक देखें। 2 मिनिट के लिए माईक्रोवेव करें।

Goan Chicken Curry

Chicken in a red Goan curry flavoured with coconut milk and tamarind.

Serves 4	व्यक्तिः 4

INGREDIENTS

400 gm chicken with bones - cut into pieces

GRIND TO A PASTE

¼ cup chopped or grated coconut

5 dry, red chillies

1 tsp jeera (cumin seeds)

½ tbsp saboot dhania (coriander seeds)

a pinch of haldi (turmeric powder)

1½ tbsp imli (tamarind) - deseeded

1" piece ginger, 5-6 flakes garlic

OTHER INGREDIENTS

2 tbsp oil, 1 onion - chopped

1 tomato - chopped

6 tbsp or 1 packet (25 gm) coconut milk powder (maggi) mixed with 1 cup milk and 1 cup water

1 tsp salt or to taste

METHOD

❶ Mix chicken with 1 tbsp oil. Arrange on the wire rack and grill for 10 minutes. Cool. Debone chicken from its bones into thick long strips. Keep chicken aside.

❷ Grind coconut, whole chillies, jeera, saboot dhania, haldi, imli, ginger, garlic and ½ cup water to a paste. Keep coconut paste aside.

❸ In a microproof dish put oil and onion. Microwave for 5 minutes.

❹ Add chopped tomato and the prepared paste. Mix well. Microwave for 3 minutes.

❺ Add coconut powder, milk, water & salt. Mix well. Micro for 6 minutes.

❻ Stir well and add grilled chicken. Microwave for 2 minutes. Serve hot.

सामग्री

400 ग्राम चिकन हड्डी के साथ - टुकड़ों में काट लें

पेस्ट बनाने के लिए

¼ कप कटा हुआ या कद्दुकस किया हुआ नारियल

5 सूखी लाल मिर्च, 1 छोटा च. जीरा

½ बड़ा च. साबुत धनिया, चुटकी भर हल्दी

1½ बड़ा च. इमली - बीज निकाल दें

1" टुकड़ा अदरक, 5-6 कली लहसुन

अन्य सामग्री

2 बड़े च. तेल, 1 प्याज़ - कटी हुई

1 टमाटर - कटा हुआ

6 बड़े च. या 1 पैकेट (25 ग्राम) नारियल दूध पाउडर को 1 कप दूध और 1 कप पानी के साथ मिला लें

1 छोटा च. नमक या स्वादानुसार

विधि

❶ चिकन में 1 बड़ा च. तेल मिलायें। वॉयर रेक पर 10 मिनिट के लिए ग्रिल करें। ठण्डा करें। हड्डी अलग करें और चिकन के लम्बे टुकड़े काट लें। चिकन अलग रखें।

❷ नारियल, साबुत लाल मिर्च, जीरा, साबुत धनिया, हल्दी, इमली, अदरक, लहसुन और ½ कप पानी डालकर पेस्ट बना लें। नारियल पेस्ट अलग रखें।

❸ माईक्रोप्रूफ गहरी डिश में तेल और प्याज़ रखें और 5 मिनिट के लिए माईक्रोवेव करें।

❹ कटे हुए टमाटर और तैयार पेस्ट डालें। अच्छे से मिलायें। 3 मिनिट के लिए माईक्रोवेव करें।

❺ नारियल पाउडर, दूध, पानी और नमक डालकर अच्छे से मिलायें। 6 मिनिट के लिए माईक्रोवेव करें।

❻ अच्छे से चलायें और ग्रिल किया हुआ चिकन मिलायें। 2 मिनिट के लिए माईक्रोवेव करें। गरम परोसें।

Murg Maskaawala

Chicken in a buttery tomato and chana dal based gravy.

Serves 4
INGREDIENTS

½ kg chicken with bones - cut into 6-8 pieces

1 large capsicum - chopped

2 tsp dhania saboot - crushed on a chakla-
belan to split the seed into two

2 onions - chopped

2 green chillies - deseeded, chopped

4 tbsp fresh coriander - chopped

2 tbsp oil, 4 tbsp butter

½ cup milk

DAL- TOMATO PASTE

4 tbsp chana dal, 4 tomatoes

2 tsp jeera

2½ tsp salt, 1½ tsp garam masala

½ tsp amchoor, ¼ tsp haldi

½ tsp red chilli powder, ½ tsp pepper

METHOD

❶ Put dal and 1 cup water in a deep bowl. Microwave covered for 6 minutes.

❷ Put a cross at the stem end of tomatoes and put in the bowl of dal. Microwave for 3 minutes. Strain. Peel tomatoes.

❸ Puree peeled tomatoes, dal, with all the other ingredients of the paste to a smooth puree in a mixer-grinder. Keep dal-tomato paste aside.

❹ Microwave oil, butter, saboot dhania and onion for 8 minutes.

❺ Add dal paste and chicken. Mix well.

❻ Add green chilli, chopped coriander. Microwave for 10 minutes, stirring once inbetween.

❼ Add 2 cups water to get a thick masala gravy. Microwave for 8 minutes.

❽ Add capsicum. Mix well. Add milk. Microwave for 2 minutes. Serve.

व्यक्तिः 4
सामग्री

½ किलो चिकन हड्डी के साथ – 6-8 पीसों में काट लें

1 बड़ी शिमला मिर्च - कटी हुई

2 छोटे च. साबुत धनिया - चकला-बेलन पर दरदरा पीस लें

2 प्याज़ - कटी हुई

2 हरी मिर्च - बीज निकाल कर मिर्च काटें

4 बड़े च. ताज़ा धनिया - कटा हुआ

2 बड़े च. तेल, 4 बड़े च. मक्खन, ½ कप दूध

दाल-टमॉटो पेस्ट

4 बड़े च. चना दाल, 4 टमाटर

2 छोटे च. जीरा, 2½ छोटे च. नमक

1½ छोटा च. गरम मसाला

½ छोटा च. अमचूर, ¼ छोटा च. हल्दी

½ छोटा च. लाल मिर्च पाउडर

½ छोटा च. काली मिर्च

विधि

❶ दाल को गहरी बाउल में 1 कप पानी के साथ डाल दें और ढक कर 6 मिनिट के लिए माईक्रोवेव करें।

❷ टमाटर के नीचे क्रॉस चीर लगायें और दाल के बाउल में रखें। 3 मिनिट के लिए माईक्रोवेव करें। निकालें। टमाटर को छील लें। दाल छान लें।

❸ छीले हुए टमाटर, दाल और अन्य सभी सामग्री को मिक्सर-ग्राइन्डर में पीसकर प्यूरी बना लें। दाल-टमॉटो पेस्ट अलग रखें।

❹ तेल, मक्खन, साबुत धनिया और प्याज़ को 8 मिनिट के लिए माईक्रोवेव करें।

❺ दाल पेस्ट और चिकन डालें। अच्छे से मिलायें।

❻ हरी मिर्च, कटा हुआ धनिया डालकर 10 मिनिट के लिए माईक्रोवेव करें। बीच में एक बार चलायें।

❼ 2 कप पानी डालकर गाढ़ी ग्रेवी बना लें और 8 मिनिट के लिए माईक्रोवेव करें।

❽ शिमला मिर्च डालें और अच्छे से मिलायें। दूध डालें और 2 मिनिट के लिए माईक्रोवेव करें। परोसें।

Paneer Pista Haryali

You can add anything else also, instead of paneer in this rich green gravy.

Serves 4

INGREDIENTS

200 gm paneer - cut into 1" squares
2 medium sized onions - cut into 4 pieces
¼ cup pistas (pistachio nuts) with the hard cover on - remove hard cover
½ cup milk

GRIND TOGETHER TO A PASTE

1 green chilli - roughly chopped
¼ cup chopped fresh coriander
1" ginger piece and 4-5 flakes garlic
1 tbsp dhania powder (ground coriander)
½ tsp white pepper powder
¾ tsp salt, or to taste
4 tbsp oil

METHOD

1. Peel and cut each onion into 4 pieces. Put onion pieces and pistas in 1 cup water in a microproof dish and microwave covered for 6 minutes. Cool slightly. Slip the skin of pistas.
2. Grind boiled onion pieces and the pistas along with the water, and with all the other ingredients written under paste to a fine green paste.
3. Put the prepared paste in a microproof dish and microwave for 5 minutes.
4. Add ½ cup water, a small pinch of sugar and paneer and microwave for 2 minutes. Keep aside till serving time.
5. At serving time, add ½ cup milk or slightly more to get a thick gravy. Microwave for 2 minutes. Serve hot.

व्यक्ति: 4

सामग्री

200 ग्राम पनीर - 1" चौकोर काट लें
2 मध्यम साईज़ के प्याज़ - 4 पीसों में काटें
¼ कप छिलके वाले पिस्ते - छिलका उतारें
½ कप दूध

एक साथ पीसकर पेस्ट बना लें

1 हरी मिर्च - दरदरी कटी हुई
¼ कप ताज़ा कटा हुआ हरा धनिया
1" टुकड़ा अदरक और 4-5 कली लहसुन
1 बड़ा च. धनिया पाउडर
½ छोटा च. सफेद मिर्च पाउडर
¾ छोटा च. नमक या स्वादानुसार
4 बड़े च. तेल

विधि

1. प्याज़ छीलें और प्रत्येक को 4 टुकड़ों में काट लें। प्याज़ के पीस और पिस्ते 1 कप पानी में माईक्रोप्रूफ डिश में डालें। ढ़क कर 6 मिनिट के लिए माईक्रोवेव करें। थोड़ा ठण्डा करें। पिस्ते का छिलका उतार दें।
2. उबले हुए प्याज़ के टुकड़ों, पिस्ते और अन्य सभी सामग्री जो हरे पेस्ट में दी गई है, पानी समेत बारीक पीसकर हरा पेस्ट बना लें।
3. तैयार किया हुआ पेस्ट माईक्रोप्रूफ डिश में डालें और 5 मिनिट के लिए माईक्रोवेव करें।
4. ½ कप पानी, चुटकी भर चीनी, और पनीर डालें और 2 मिनिट के लिए माईक्रोवेव करें। परोसने के समय तक अलग रखें।
5. परोसते समय ½ कप दूध या थोड़ा और ज़्यादा डालकर गाढ़ी ग्रेवी बनायें। 2 मिनिट के लिए माईक्रोवेव करें। गरम परोसें।

Dum Murg Kali Mirch

Freshly pounded peppercorns lend a subtle spiciness to the dish.

Serves 4

INGREDIENTS

½ of a medium sized chicken (400 gm) - cut into 8 pieces

1 chhoti illaichi (green cardamoms)

4 tbsp oil

2 onions - finely chopped

1 tsp saboot kali mirch (peppercorns) - pounded coarsely to a rough powder

½ cup milk

PASTE

5-6 cashewnuts

½ cup thick dahi (yogurt)

½ tsp red chilli powder

1 tsp salt

½ tsp garam masala powder

½" piece of ginger, 10 flakes of garlic

METHOD

❶ Grind all ingredients of paste to a very smooth paste in the mixer.

❷ Put oil, chhoti illaichi and the chopped onions in a microproof dish. Mix well and microwave for 8 minutes.

❸ Add the chicken pieces and dahi- kaju paste, mix well and microwave covered for 8 minutes.

❹ Add ½ cup milk and 1 cup water. Mix. Sprinkle ¾ tsp freshly crushed peppercorns. Microwave for 6 minutes. Stir once inbetween.

❺ Sprinkle some crushed peppercorns and serve hot.

व्यक्ति: 4

सामग्री

½ मध्यम साईज़ का चिकन (400 ग्राम) – 8 टुकड़ों में कांटें

1 छोटी इलायची, 4 बड़े च. तेल

2 प्याज़ – बारीक कटी हुई

1 छोटा च. साबुत काली मिर्च – दरदरी पीसकर पाउडर बना लें

½ कप दूध

पेस्ट

5-6 काजू

½ कप गाढ़ी दही

½ छोटा च. लाल मिर्च पाउडर

1 छोटा च. नमक

½ छोटा च. गरम मसाला पाउडर

½" टुकड़ा अदरक

10 कली लहसुन

विधि

❶ पेस्ट की सभी सामग्री को मिक्सी में पीसकर पेस्ट बना लें।

❷ तेल, छोटी इलायची और कटी हुई प्याज़ माईक्रोप्रूफ डिश में डालें। अच्छे से मिलायें और 8 मिनिट के लिए माईक्रोवेव करें।

❸ चिकन पीस और दही-काजू पेस्ट अच्छे से मिलायें। ढ़क कर 8 मिनिट के लिए माईक्रोवेव करें।

❹ ½ कप दूध और ½ कप पानी डालकर मिलायें। ¾ छोटा च. ताज़ा पिसी हुई काली मिर्च छिड़क दें। 6 मिनिट के लिए माईक्रोवेव करें। बीच में एक बार चलायें।

❺ थोड़ी सी ताज़ा पिसी हुई काली मिर्च छिड़कें और गरम परोसें।

Paneer Makhani

Paneer in a red cashew based makhani gravy flavoured with fenugreek.

Serves 4-5

INGREDIENTS

300 gm paneer - cut into cubes
5 large (500 gm) tomatoes - chopped roughly
1" piece ginger - chopped
2 tbsp butter/ghee and 2 tbsp oil
seeds of 2 green illaichi (cardamoms) - crushed
½ tsp sugar, 1 tsp salt or to taste
½ tsp garam masala
½ tsp degi mirch or red chilli powder
1 tsp tomato ketchup
4 tbsp cashewnuts or magaz - soaked in ¼ cup water & ground to a paste
2 tsp kasoori methi (dried fenugreek leaves)
1 cup milk, approx.
3-4 tbsp cream

METHOD

1. Microwave tomatoes and ginger in a deep dish with ½ cup water for 5 minutes.
2. Blend tomatoes and ginger to a puree in a mixer.
3. Microwave butter/ghee and oil for 2 minutes. Add illaichi powder. Mix. Add salt, sugar, red chilli powder and garam masala. Mix. Add fresh tomato puree and tomato ketchup. Mix very well. Microwave for 8 minutes. Stir once in between.
4. Add cashewnut or magaz paste and kasoori methi. Mix well. Add ½ cup water. Microwave for 3 minutes.
5. Add paneer and mix well. Add enough milk to get a thick red gravy. Mix well and microwave for 3 minutes.
6. Add cream. Sprinkle little kasoori methi on top and serve hot.

व्यक्ति: 4-5

सामग्री

300 ग्राम पनीर - चौकोर टुकड़ों में काट लें
5 बड़े (500 ग्राम) टमाटर - काट लें
1" टुकड़ा अदरक - कटा हुआ
2 बड़े च. मक्खन/घी और 2 बड़े च. तेल
2 छोटी इलायची के बीज - दरदरे पीस लें
½ छोटा च. चीनी
1 छोटा च. नमक या स्वादानुसार
½ छोटा च. गरम मसाला
½ छोटा च. देगी मिर्च या लाल मिर्च पाउडर
1 छोटा च. टमॉटो सॉस
4 बड़े च. काजू या मगज़ - ¼ कप पानी में भिगोएँ और पीसकर पेस्ट बना लें
2 छोटे च. कसूरी मेथी
1 कप दूध
3-4 बड़े च. क्रीम

विधि

1. टमाटर और अदरक गहरी डिश में ½ कप पानी के साथ 5 मिनिट के लिए माईक्रोवेव करें।
2. टमाटर और अदरक को मिक्सी में पीस लें।
3. मक्खन/घी और तेल को 2 मिनिट के लिए माईक्रोवेव करें। इलायची पाउडर डालकर मिलायें। नमक, चीनी, लाल मिर्च पाउडर और गरम मसाला डालें। मिलायें। ताज़ी टमॉटो प्यूरी और टमॉटो सॉस डालें। अच्छे से मिलायें और 8 मिनिट के लिए माईक्रोवेव करें। बीच में एक बार चलायें।
4. काजू या मगज़ पेस्ट और कसूरी मेथी डालकर अच्छे से मिलायें। ½ कप पानी डालें और 3 मिनिट के लिए माईक्रोवेव करें।
5. पनीर डालें और अच्छे से मिलायें। प्रचुर मात्रा में दूध डालकर गाढ़ी लाल ग्रेवी तैयार करें। अच्छे से मिलायें और 3 मिनिट के लिए माईक्रोवेव करें।
6. क्रीम डालें। थोड़ी सी कसूरी मेथी ऊपर छिड़क कर गरम-गरम परोसें।

Chicken Chettinad

The brown fiery curry from South India.

Serves 4-5

INGREDIENTS

½ chicken (400 gm) - cut into 8 small pieces

1 large onion - chopped very finely

¼ cup curry leaves, 1 tbsp lemon juice

1 cup milk

PASTE (GRIND TOGETHER)

2 tomatoes

1½" piece ginger, 5 flakes garlic

½ cup freshly grated coconut

½ tsp saboot dhania (coriander seeds)

½ tsp saunf (fennel seeds)

1¼ tsp saboot kali mirch (peppercorns)

3 whole, dry red chillies

2 chhoti illaichi (green cardamoms)

1-2 laung (cloves)

¾ tsp salt, ¼ tsp turmeric powder (haldi)

METHOD

1. Grind together all the ingredients written under paste in a mixer to a very smooth paste with ¼ cup water.

2. Put 3 tbsp oil in a microproof dish, add onion and curry leaves. Microwave for 5 minutes.

3. Add the chicken pieces and microwave covered for 5 minutes.

4. Add the prepared paste and mix and microwave covered for 8 minutes.

5. Add 1¼ cups of water. Microwave covered for 6 minutes. Keep aside.

6. At serving time, add 1 cup milk to the chicken, mix. Check salt and add more if required. Microwave for 3 minutes.

7. Mix well. Add lemon juice to taste. Serve hot garnished with freshly crushed peppercorns.

व्यक्तिः 4

सामग्री

½ मध्यम साईज़ का चिकन (400 ग्राम) – 8 टुकड़ों में काटें

1 बड़ा प्याज़ – बहुत बारीक काट लें

¼ कप करी पत्ते, 1 बड़ा च. नींबू का रस

1 कप दूध

पेस्ट

2 टमाटर

1½" टुकड़ा अदरक, 5 कली लहसुन

½ कप ताज़ा कदुकस किया हुआ नारियल

½ छोटा च. साबुत धनिया

½ छोटा च. सौंफ

1¼ छोटा च. साबुत काली मिर्च

3 साबुत लाल मिर्च, ¾ छोटा च. नमक

2 छोटी इलायची, 1-2 लौंग

¼ छोटा च. हल्दी पाउडर

विधि

1. पेस्ट की सभी सामग्री को मिक्सी में ¼ कप पानी के साथ पीसकर पेस्ट बना लें।

2. 3 बड़े च. तेल माईक्रोप्रूफ डिश में डालें, प्याज़ और करी पत्ता डालकर 5 मिनिट के लिए माईक्रोवेव करें।

3. चिकन पीस डालें और ढक कर 5 मिनिट के लिए माईक्रोवेव करें।

4. तैयार किया हुआ पेस्ट डालकर मिलायें और ढक कर 5 मिनिट के लिए माईक्रोवेव करें।

5. 1¼ कप पानी डालें और ढक कर 6 मिनिट के लिए माईक्रोवेव करें। अलग रखें।

6. परोसने के समय 1 कप दूध चिकन में डालें और मिलायें। नमक चख कर देखें, जरुरत हो तो डाल लें। 3 मिनिट के लिए माईक्रोवेव करें।

7. अच्छे से मिलायें। नींबू का रस डालें। ताज़ा पिसी हुई काली मिर्च छिड़कें और सजाकर गरम परोसें।

Stuffed Tomatoes

Tomato stuffed with crunchy rice and put in a gravy.

Serves 4

INGREDIENTS

6 small firm tomatoes, 2 tbsp oil

2 tbsp tomato ketchup

FILLING

1½ cups cooked rice

1 tbsp roasted peanuts - roughly crushed

¼ cup chopped coriander

2 tbsp grated cheese

2 green chillies - deseeded & chopped

1 tsp chaat masala, salt to taste

½ tsp garam masala

GRAVY

2 big onions, 1" piece ginger

½ tsp (turmeric powder) haldi

1 tsp dhania (coriander) powder

½ tsp chilli powder, ¾ tsp salt

½ tsp garam masala, ¼ tsp amchoor

METHOD

❶ Slice a small piece from the top of each tomato. Scoop out carefully.

❷ Rub some salt inside the tomatoes & keep them upside down.

❸ Mix all ingredients of the filling. Do not mash. Mix gently.

❹ Fill scooped tomatoes with the filling. Press well.

❺ Grind all ingredients of gravy along with the scooped out portion of the tomatoes, together in a mixer.

❻ Put oil and onion-tomato paste in a microproof bowl. Microwave for 11 minutes or more, till paste turns dry.

❼ Add 1½ cups water and tomato ketchup. Mix well. Microwave 6 min.

❽ Arrange stuffed tomatoes on the gravy. Keep aside till serving time.

❾ To serve, microwave for 3 minutes or till tomatoes turn soft.

व्यक्तिः 4

सामग्री

6 साबुत टमाटर, 2 बड़े च. तेल

2 बड़े च. टमॉटो सॉस

भरावन

1½ कप पके हुए चावल

1 बड़ा च. भूनी हुई मूंगफली – दरदरी पीसें

¼ कप कटा हुआ हरा धनिया

2 बड़े च. कद्दुकस किया हुआ चीज़

2 हरी मिर्च – बीज निकाल कर कांटें

1 छोटा च. चाट मसाला, नमक स्वादानुसार

½ छोटा च. गरम मसाला

ग्रेवी

2 बड़े प्याज़, 1" टुकड़ा अदरक

½ छोटा च. हल्दी, 1 छोटा च. धनिया पाउडर

½ छोटा च. लाल मिर्च पाउडर

½ छोटा च. गरम मसाला पाउडर

¾ छोटा च. नमक, ¼ छोटा च. अमचूर

विधि

❶ प्रत्येक टमाटर के ऊपर से छोटा सा पीस काट लें। ध्यानपूर्वक खोखला (स्कूप) करें।

❷ टमाटर के अन्दर थोड़ा सा नमक रगड़ दें और उलट कर रखें।

❸ भरावन की सभी सामग्री को मिला लें। मैश न करें। धीरे-धीरे मिलायें।

❹ स्कूप किये टमाटर को भरावन से अच्छे से भरें।

❺ ग्रेवी की सभी सामग्री को स्कूप किये टमाटर के गूद्दे के साथ मिक्सी में पीस लें।

❻ तेल और प्याज़-टमाटर पेस्ट को माईक्रोप्रूफ बाउल में रखें। पेस्ट सूखने तक या 11 मिनिट के लिए या अधिक समय तक माईक्रोवेव करें।

❼ 1½ कप पानी और टमॉटो सॉस डालकर अच्छे से मिलायें। 6 मिनिट के लिए माईक्रोवेव करें।

❽ भरे हुए टमाटर को ग्रेवी में रखें।

❾ सर्व करने के लिए 3 मिनिट के लिए या टमाटर के नरम होने तक माईक्रोवेव करें।

Murg Masala Korma

The typical korma curry made into a semi dry masala which coats the chicken.

Serves 4

NGREDIENTS

½ kg boneless chicken - cut into 1" pieces

2 medium onions - finely sliced

5 tbsp oil

2 tbsp chopped coriander

¾ cup yogurt (dahi) and ¼ cup water- beat
well together till smooth

ONION PASTE

1 medium sized onion

½" piece of ginger

2-3 flakes of garlic

1 tbsp cashewnuts (kaju)

1 tsp salt or to taste

¼ tsp haldi (turmeric powder)

1 tsp red chilli powder

METHOD

❶ Grind all ingredients of the onion paste together to a smooth paste.

❷ Put 5 tbsp oil and sliced onions in a microproof dish and microwave for 9 minutes.

❸ Add the onion paste and chicken. Mix and microwave for 9 minutes or till chicken gets cooked.

❹ Add well beaten curd and microwave for 3 minutes.

❺ Add coriander. Mix well. Serve hot.

व्यक्ति: 4

सामग्री

½ किलो (बिना हड्डी) चिकन – 1" टुकड़ों में
काट लें

2 मध्यम प्याज़ – बारीक काट लें

5 बड़े च. तेल

2 बड़े च. कटा हुआ धनिया

¾ कप दही और ¼ कप पानी – अच्छे से
फॅंट लें

प्याज़ की पेस्ट

1 मध्यम साईज़ का प्याज़

½" टुकड़ा अदरक

2-3 कली लहसुन

1 बड़ा च. काजू

1 छोटा च. नमक या स्वादानुसार

¼ छोटा च. हल्दी

1 छोटा च. लाल मिर्च पाउडर

विधि

❶ प्याज़ के पेस्ट की सभी सामग्री को इकट्ठा पीसकर पेस्ट बना लें।

❷ 5 बड़े च. तेल और प्याज़ के स्लाईस माईक्रोप्रूफ डिश में रखें और 9 मिनिट के लिए माईक्रोवेव करें।

❸ प्याज़ पेस्ट और चिकन डालकर मिलायें और 9 मिनिट के लिए या चिकन पकने तक माईक्रोवेव करें।

❹ फॅंटी हुई दही डालें और 3 मिनिट के लिए माईक्रोवेव करें।

❺ धनिया डालें। अच्छे से मिलायें। गरम परोसें।

Achaari Khumb Mirch

Mushrooms and capsicums in a pickle flavoured masala.

Serves 4

INGREDIENTS

200 gms (1 packet) fresh mushrooms - each
cut into 4 pieces

2 capsicums - cut into ¼" pieces

2 tbsp oil

2 onions - cut into rings & separated

1 tsp dhania powder

¼ tsp turmeric (haldi)

¼ tsp amchoor

½ tsp garam masala

½ tsp red chilli powder

1" piece ginger - cut into match sticks

1 tsp salt

1½ tbsp lemon juice, or to taste

ACHARI SPICES (½ TSP EACH)

½ tsp fennel (saunf)

½ tsp cumin (jeera)

½ tsp brown mustard seeds (rai)

½ tsp nigella or onion seeds (kalaunji)

METHOD

❶ In a microproof flat dish, put oil, onion, dhania powder, haldi, amchoor, garam masala and red chilli powder. Add all the achari spices also and mix well. Microwave for 7 minutes.

❷ Add ginger, mushrooms, salt and lemon juice. Mix very well and spread them out in the dish. Microwave for 8 minutes. Stir once in-between.

❸ Add capsicum and mix. Microwave for 3 minutes and serve.

व्यक्ति: 4

सामग्री

200 ग्राम (1 पैकेट) ताज़ा मशरुम – 4
पीसों में काट लें

2 शिमला मिर्च – ¼" टुकड़ों में काट लें

2 बड़े च. तेल

2 प्याज़ – गोल काटें और अलग कर दें

1 छोटा च. धनिया पाउडर

¼ छोटा च. हल्दी

¼ छोटा च. अमचूर

½ छोटा च. गरम मसाला

½ छोटा च. लाल मिर्च पाउडर

1" टुकड़ा अदरक – माचिस की तीली जैसे
काट लें, 1 छोटा च. नमक

1½ बड़ा च. नींबू का रस या स्वादानुसार

अचारी मसाले (½ छोटा च. प्रत्येक का)

½ छोटा च. सौंफ

½ छोटा च. जीरा

½ छोटा च. राई

½ छोटा च. कलौंजी

विधि

❶ माईक्रोप्रूफ प्लेट में तेल, प्याज़, धनिया पाउडर, हल्दी, अमचूर, गरम मसाला और लाल मिर्च पाउडर डालें। सारे अचारी मसाले भी डालकर मिला लें और 7 मिनिट के लिए माईक्रोवेव करें।

❷ अदरक, मशरुम, नमक और नींबू का रस डालें। अच्छे से मिलायें और डिश में फैला दें और 8 मिनिट के लिए माईक्रोवेव करें। बीच में एक बार चलायें।

❸ शिमला मिर्च डालकर मिलायें और 3 मिनिट के लिए माईक्रोवेव करें। परोसें।

Murg Kadhai Waala

Chicken in kadhai masala which is flavoured with fenugreek and coriander.

Serves 4-5

INGREDIENTS

1 medium sized (800 gms) chicken - cut into 12 pieces
2 tsp salt, or to taste
6 tbsp oil
½ tsp methi dana (fenugreek seeds)
3 large onions - cut into slices
15-20 flakes garlic - crushed & chopped
4 large tomatoes - chopped
¼ cup ready made tomato puree
½ cup chopped green coriander
1 capsicum - cut into thin long pieces
2" piece ginger - cut into match sticks
1-2 green chillies - cut into thin slices
4-5 tbsp cream

GRIND TOGETHER ROUGHLY

1½ tbsp saboot dhania (coriander seeds)
3 whole, dry red chillies

METHOD

1. Put oil, methi dana and onion slices in a microproof dish and microwave for 10 minutes or till light brown.
2. Add garlic, saboot dhania-red chilli powder and chopped tomatoes and microwave for 6 minutes.
3. Add chicken and salt. Mix very well. Cover and microwave for 11 minutes or till chicken is tender.
4. Add tomato puree, chopped green coriander, capsicum, ginger match sticks and green chilli slices. Mix well. Microwave for 3 minutes
5. Add cream. Mix well and serve hot.

व्यक्तिः 4-5

सामग्री

1 मध्यम साईज़ (800 ग्राम) चिकन - 12 टुकड़ों में काट लें
2 छोटे च. नमक या स्वादानुसार
6 बड़े च. तेल, ½ छोटा च. मेथी दाना
3 बड़े प्याज़ - स्लाईसों में काट लें
15-20 कली लहसुन - दरदरा कूट लें
4 बड़े टमाटर - कटे हुए
¼ कप रेडिमेड् टमॉटो प्यूरी
½ कप कटा हुआ हरा धनिया
1 शिमला मिर्च - पतले लम्बे पीसों में काटें
2" टुकड़ा अदरक - माचिस की तीली जैसे काट लें
1-2 हरी मिर्च - पतले स्लाईसों में काट लें
4-5 बड़े च. क्रीम

एक साथ इकट्ठा पीसें

1½ बड़ा च. साबुत धनिया
3 सूखी साबुत लाल मिर्च

विधि

1. तेल, मेथी दाना, प्याज़ के स्लाईस माईक्रोप्रूफ डिश में डालें और 10 मिनिट के लिए या लाईट ब्राउन होने तक माईक्रोवेव में रखें।
2. लहसुन, साबुत धनिया-लाल मिर्च पाउडर और कटा हुआ टमाटर डालें और 6 मिनिट के लिए माईक्रोवेव करें।
3. चिकन और नमक डालकर अच्छे से मिलायें। ढ़कें और 11 मिनिट के लिए या चिकन नरम होने तक माईक्रोवेव करें।
4. टमॉटो प्यूरी, कटा हुआ हरा धनिया, शिमला मिर्च, अदरक टुकड़े और हरी मिर्च के स्लाईस डालें। अच्छे से मिलायें और 3 मिनिट के लिए माईक्रोवेव करें।
5. क्रीम डालें। अच्छे से मिलायें। गरम परोसें।

Palak Keema

Chicken mince with spinach flavoured with fennel.

Serve 4-5

INGREDIENTS

½ kg chicken mince (keema) - wash in a
soup strainer

1½ cups spinach (palak)- shredded (cut into
thin long strips)

3 tbsp butter

2 onions - chopped

1 tsp jeera (cumin seeds)

½ tsp kalonji (nigella seeds)

¼ tsp methi daana (fenugreek seeds)

½ tsp saunf (fennel seeds) - crushed

1 tbsp chopped coriander - to garnish

TOMATO PASTE (PUREE IN A MIXER)

2 tomatoes

2" piece of ginger

16- 20 flakes of garlic

2-3 dry red chillies, 1¼ tsp salt

METHOD

❶ Put butter in a microproof dish and
microwave for 30 seconds.

❷ Add jeera, kalonji, methi dana, saunf
and chopped onions. Mix well.
Microwave for 8 minutes.

❸ Add the chicken keema, mix well.
Microwave for 7 minutes.

❹ Add shredded palak and the prepared
tomato paste. Mix and microwave for
7 minutes.

❺ Add ¾ cup water, mix and microwave
for 5 minutes. Check salt, add more if
required.

❻ Serve garnished with chopped green
coriander.

व्यक्तिः 4-5

सामग्री

½ किलो चिकन कीमा – बड़ी चलनी में धोएँ

1½ कप पालक – लम्बे पतले टुकड़ों में
काट लें

3 बड़े च. मक्खन

2 प्याज़ - कटे हुए

1 छोटा च. जीरा, ½ छोटा च. कलौंजी

¼ छोटा च. मेथी दाना

½ छोटा च. सौंफ - दरदरी पीस लें

1 बड़ा च. कटा हुआ हरा धनिया – सजाने
के लिए

टमॉटो पेस्ट (मिक्सी में पीस लें)

2 टमाटर

2" टुकड़ा अदरक

16-20 कली लहसुन

2-3 सूखी लाल मिर्च

1¼ छोटा च. नमक

विधि

❶ माईक्रोप्रूफ डिश में मक्खन रखें और 30 सेकिण्ड
के लिए माईक्रोवेव करें।

❷ जीरा, कलौंजी, मेथी दाना, सौंफ और कटे हुए प्याज़
डालकर अच्छे से मिला लें। 8 मिनिट के लिए
माईक्रोवेव करें।

❸ चिकन कीमा डालें और अच्छे मिलायें, 7 मिनिट के
लिए माईक्रोवेव करें।

❹ कटा हुआ पालक और तैयार टमॉटो पेस्ट डालें। अच्छे
से मिलायें और 7 मिनिट के लिए माईक्रोवेव करें।

❺ ¾ कप पानी डालकर मिलायें और 5 मिनिट के लिए
माईक्रोवेव करें। नमक चैक कर लें, जरुरत पड़ने पर
और डाल लें।

❻ कटे हुए हरे धनिये से सजाकर सर्व करें।

Tikka Masala

Chicken tikka converted into a meal time dish.

Serves 4

INGREDIENTS

½ kg cooked chicken tikka - (prepare chicken tikka as given on page 19)

MASALA

4 tomatoes

5 tbsp oil

½ tsp sarson (mustard seeds)

½ tsp kalonji (onion seeds) or jeera (cumin seeds)

2 onions - sliced

3- 4 flakes of garlic- crushed

4 green chillies - finely chopped

1 cup coconut milk

or

1 cup milk mixed with 1 packet (25 gm or 6 tbsp) coconut milk powder

4 tbsp mint (poodina) leaves - chopped

4 tbsp coriander - finely chopped

3 tbsp lemon juice

1 tsp salt, 1 tsp garam masala

METHOD

❶ Prepare chicken tikka as given on page 19.

❷ Place tomatoes in a microproof dish and microwave for 3 minutes. Peel the skin of the tomatoes and chop finely.

❸ Put oil, sarson, kalonji or jeera, sliced onions, crushed garlic, chopped green chillies and tomatoes. Mix well. Microwave for 7 minutes.

❹ Add coconut milk and microwave for 4 minutes. Keep aside till serving time.

❺ At serving time, add cooked chicken tikka, chopped mint, coriander, lemon juice, garam masala and salt to the masala in the dish. Mix. Microwave for 2 minutes.

व्यक्तिः 4

सामग्री

½ किलो पका हुआ चिकन टिक्का – पेज 19 पर दी गई विधि अनुसार तैयार करें

मसाला

4 टमाटर

5 बड़े च. तेल

½ छोटा च. सरसों

½ छोटा च. कलौंजी या जीरा

2 प्याज़ – स्लाईस कर लें

3-4 कली लहसुन – दरदरा पीस लें

4 हरी मिर्च – बारीक कटी हुई

1 कप नारियल का दूध

या

1 कप दूध के साथ 1 पैकेट (25 ग्राम या 6 बड़े च.) कोकोनट मिल्क पाउडर मिलायें

4 बड़े च. पुदीने के पत्ते – कटे हुए

4 बड़े च. हरा धनिया – बारीक कटा हुआ

3 बड़े च. नींबू का रस

1 छोटा च. नमक, 1 छोटा च. गरम मसाला

विधि

❶ चिकन टिक्का पेज 19 पर दी गई विधि अनुसार तैयार करें।

❷ माईक्रूफ्रूफ डिश में टमाटर रखें और 3 मिनिट के लिए माईक्रोवेव करें। टमाटर का छिलका उतार कर काटें।

❸ तेल, सरसों, कलौंजी या जीरा, प्याज़ के स्लाईस, पीसा हुआ लहसुन, कटी हुई हरी मिर्च और टमाटर डालें। अच्छे से मिलायें, 7 मिनिट के लिए माईक्रोवेव करें।

❹ नारियल का दूध डालें और 4 मिनिट के लिए माईक्रोवेव करें। परोसने के समय तक अलग रखें।

❺ परोसते समय पका हुआ चिकन टिक्का, कटा हुआ पुदीना, धनिया, नींबू का रस, गरम मसाला और नमक डिश में पड़े मसाले में अच्छे से मिलाकर 2 मिनिट के लिए माईक्रोवेव करें।

Chicken Bharta

Dices of chicken cooked in onion - tomato masala.

Serves 4

INGREDIENTS

500 gms boneless chicken - cut into tiny pieces
3 onions - chopped
1 tbsp saboot dhania - crushed
1½" piece ginger- chopped
10 flakes garlic - chopped
3 tomatoes - chopped
1 big tomato - pureed in a mixer
2 dry, red chillies - break into pieces
1½ tsp salt
1 tsp garam masala
1 tsp coriander (dhania) powder
½ tsp dry mango powder (amchoor)
2 tbsp kasoori methi (dry fenugreek leaves)
2 green chillies - keep whole, do not chop
2 tbsp chopped coriander

METHOD

1. Cut boneless chicken into thin long strips & cut each of this strip into small pieces.
2. Put 4 tbsp oil, chopped onion, crushed saboot dhania, ginger and garlic in a microproof dish & microwave for 9 minutes.
3. Add chicken, mix well and microwave covered for 4 minutes.
4. Add chopped tomatoes, pureed tomatoes, dry red chillies, salt, garam masala, dhania powder, amchoor, kasoori methi and whole green chillies. Mix well. Cook on combination mode (micro+grill) for 10 minutes. Mix once inbetween.
5. Garnish with fresh coriander and serve hot.

व्यक्तिः 4

सामग्री

500 ग्राम बिना हड्डी का चिकन - बहुत छोटे टुकड़ों में काट लें
3 प्याज़ - कटे हुए
1 बड़ा च. साबुत धनिया - दरदरा पीस लें
1½" टुकड़ा अदरक - कटा हुआ
10 कली लहसुन - कटा हुआ
3 टमाटर - कटे हुए
1 बड़ा टमाटर - मिक्सी में प्यूरी बना लें
2 सूखी लाल मिर्च - टुकड़ों में तोड़ लें
1½ छोटा च. नमक
1 छोटा च. गरम मसाला
1 छोटा च. धनिया पाउडर
½ छोटा च. अमचूर
2 बड़े च. कसूरी मेथी
2 हरी मिर्च - साबुत रखें
2 बड़ा च. कटा हुआ हरा धनिया

विधि

1. बिना हड्डी के चिकन को लम्बे टुकड़ों में काट लें और प्रत्येक टुकड़े के छोटे-छोटे टुकड़े कर लें।
2. 4 बड़े च. तेल, कटा हुआ प्याज़, साबुत धनिया, अदरक और लहसुन माईक्रोप्रूफ डिश में 9 मिनिट के लिए रखें।
3. चिकन डालकर अच्छे से मिलायें। ढ़कें और 4 मिनिट के लिए माईक्रोवेव करें।
4. कटे हुए टमाटर, पिसे हुए टमाटर, सूखी लाल मिर्च, नमक, गरम मसाला, धनिया पाउडर, अमचूर, कसूरी मेथी और साबुत हरी मिर्च डालकर अच्छे से मिलायें। ॲवन में कॉम्बिनेशन मोड (कॉनवेक+ग्रिल) पर 10 मिनिट के लिए पकायें। बीच में एक बार चलायें।
5. ताज़ा धनिये से सजाकर गरम परोसें।

Paneer Hara Pyaz

Picture on page 67

Green spring onions with cottage cheese in masala.

Serves 4

INGREDIENTS

250 gm paneer- cut into 1" cubes

150 gm hare pyaz (spring onions)

1 green chilli - deseeded & chopped

3 tbsp oil

6-8 flakes garlic - crushed

¼ tsp turmeric powder (haldi)

2 tsp coriander (dhania) powder

¾ cup readymade tomato puree

1 tbsp tomato ketchup

3 laung (cloves) - crushed

½ tsp red chilli powder

½ tsp garam masala

¾ tsp salt

4 tbsp cream or well beaten thin malai

METHOD

❶ Cut white of spring onions into rings, greens into ½" diagonal pieces.

❷ Put oil, garlic, white of onion, haldi and dhania powder in a microproof dish. Microwave for 4 minutes.

❸ Add tomato puree, tomato ketchup, laung, red chilli powder, garam masala and salt. Mix well. Microwave for 4 minutes.

❹ Add ½ cup water, paneer, green chillies, cream and about 1 cup of greens of spring onions. Mix well. Microwave for 2 minutes. Check salt and add more if required. Mix and serve hot.

व्यक्तिः 4

सामग्री

250 ग्राम पनीर – 1" टुकड़ों में काट लें

150 ग्राम हरे प्याज़, 1 हरी मिर्च – बीज निकाल दें और मिर्च बारीक काट लें

3 बड़े च. तेल

6-8 कली लहसुन – दरदरी पीस लें

¼ छोटा च. हल्दी पाउडर

2 छोटे च. धनिया पाउडर

¾ कप रेडिमेड् टमॉटो प्यूरी

1 बड़ा च. टमॉटो सॉस

3 लौंग – दरदरी पीस लें

½ छोटा च. लाल मिर्च पाउडर

½ छोटा च. गरम मसाला

¾ छोटा च. नमक

4 बड़े च. क्रीम या फैंटी हुई मलाई

विधि

❶ हरे प्याज़ का सफेद भाग गोल काट लें और हरे भाग को ½" तिरछे टुकड़ों में काट लें।

❷ तेल, लहसुन, सफेद प्याज़, हल्दी और धनिया पाउडर माईक्रोप्रूफ डिश में रखें और 4 मिनिट के लिए माईक्रोवेव करें।

❸ टमॉटो प्यूरी, टमॉटो सॉस, लौंग, लाल मिर्च पाउडर, गरम मसाला और नमक डालें। अच्छे से मिलायें और 4 मिनिट के लिए माईक्रोवेव करें।

❹ ½ कप पानी, पनीर, हरी मिर्च, क्रीम और 1 कप हरे प्याज़ की कटी हुई हरी पत्तियाँ डालें। अच्छे से मिलायें और 2 मिनिट के लिए माईक्रोवेव करें। नमक चैक करें और जरुरत पड़ने पर डाल लें। मिलायें और परोसें।

Dal Maharani

Split and dehusked black lentils cooked till each grain stands out separately.

Serves 4

INGREDIENTS

1 cup dhuli urad dal (split black beans) -
soaked for 1 hour

1 onion - sliced

1" piece ginger - grated

3 tbsp oil

1¼ tsp salt

½ tsp turmeric powder (haldi)

½ tsp red chilli powder

¼ tsp amchoor

¼ tsp coriander (dhania) powder

METHOD

❶ Clean and wash dal. Soak in water for 1 hour.

❷ Keep onion and ginger in a microproof dish. Sprinkle oil on it. Mix. Add salt, haldi, chilli powder, amchoor and dhania powder. Microwave for 6 minutes.

❸ Drain the dal and add dal to the onions. Add 2 cups water. Mix well. Microwave covered for 20 minutes. Stir once after 8 minutes in-between.

❹ After it is ready, let it stand for 3-4 minutes till it turns soft. Sprinkle chopped coriander & mix gently with a fork.

व्यक्तिः 4

सामग्री

1 कप धुली उड़द की दाल – 1 घण्टे के
लिए भिगो दें

1 प्याज़ – स्लाईस कर लें

1" टुकड़ा अदरक – कद्दूकस किया हुआ

3 बड़े च. तेल

1¼ छोटा च. नमक

½ छोटा च. हल्दी पाउडर

½ छोटा च. लाल मिर्च पाउडर

¼ छोटा च. अमचूर

¼ छोटा च. धनिया पाउडर

विधि

❶ दाल साफ करें और धो लें। पानी में 1 घण्टे के लिए भिगो दें।

❷ प्याज़ और अदरक माईक्रोप्रूफ डिश में रखें। इस पर तेल छिड़क दें। मिलायें। नमक, हल्दी, लाल मिर्च पाउडर, अमचूर और धनिया पाउडर डालकर 6 मिनिट के लिए माईक्रोवेव करें।

❸ दाल पानी से छान लें और प्याज़ में दाल डालें। 2 कप पानी डालें। 20 मिनिट के लिए ढ़क कर माईक्रोवेव करें। बीच में 8 मिनिट के बाद एक बार चलायें।

❹ तैयार हो जाने के बाद 3-4 मिनिट के लिए नरम होने तक छोड़ दें। कटा हुआ हरा धनिया छिड़कें और धीरे से काँटे से चलायें।

Anjeeri Gobhi

Cauliflower cooked with a hint of sweetness in a yogurt and dry figs paste.

Serves 4-6

INGREDIENTS

(1 big) ½ kg cauliflower (gobhi) - cut into medium size florets with long stalks
1 tsp jeera (cumin seeds)
2 onions - chopped
¾" piece ginger- chopped
¼ tsp turmeric (haldi)
2 green chillies
1 tomato - chopped

ANJEER PASTE

8 small anjeers (figs) - chopped
¾ cup dahi (yogurt)
½ tsp garam masala
½ tsp red chilli powder
1½ tsp salt

METHOD

1. Break the cauliflower into medium florets, keeping the stalk intact.
2. Churn all the ingredients given under anjeer paste in a mixer till smooth.
3. In a microproof dish put 4 tbsp oil, jeera, chopped onions and ginger. Add haldi. Mix. Microwave for 9 minutes.
4. Add the prepared anjeer paste. Mix well. Add cauliflower and mix very well. Mix in whole green chillies and chopped tomato. Cover and microwave for 10 minutes or more till the cauliflower gets cooked.

व्यक्ति: 4-6

सामग्री

½ किलो (1 बड़ी) फूलगोभी - मध्यम साईज़ के टुकड़ों में लम्बे तने के साथ काट लें
1 छोटा च. जीरा
2 प्याज़ - कटी हुई
¾" टुकड़ा अदरक - कटा हुआ
¼ छोटा च. हल्दी
2 हरी मिर्च
1 टमाटर - कटा हुआ

अंजीर पेस्ट

8 छोटी अंजीर - कटी हुई
¾ कप दही
½ छोटा च. गरम मसाला
½ छोटा च. लाल मिर्च पाउडर
1½ छोटा च. नमक

विधि

1. फूलगोभी को मध्यम टुकड़ों में तोड़ लें, तना रहने दें।
2. अंजीर पेस्ट में दी गई सभी सामग्री को एक साथ अच्छी तरह पीस लें।
3. माईक्रप्रूफ डिश में 4 बड़े च. तेल, जीरा, कटी हुई प्याज़ और अदरक डालें। हल्दी डालकर मिलायें और 9 मिनिट के लिए माईक्रोवेव करें।
4. तैयार की हुई अंजीर पेस्ट डालें। अच्छे से मिलायें। फूलगोभी डालें और अच्छे से मिला लें। साबुत हरी मिर्च और कटे हुए टमाटर डालें। ढ़कें और 10 मिनिट के लिए माईक्रोवेव करें या फूल गोभी पकने तक पकायें।

Murg Amravati

Chicken cooked with a predominant flavour of coconut and peanuts.

Serves 4

INGREDIENTS

500 gm chicken with bones

2 onions - grated

2 onions - sliced

4 tbsp oil

2 tsp mustard seeds (sarson)

2 tbsp roasted peanuts (moongphali)

4 tbsp grated fresh coconut

½ tsp turmeric powder (haldi)

1½ tsp salt, or to taste

4 tbsp tomato puree (ready-made)

3 tbsp lemon juice

PASTE

2 dry chillies, 1" piece of ginger

2 tbsp cashewnuts (kaju)

2 tsp coriander (dhania) powder

2 cloves (laung)

6 peppercorns (saboot kali mirch)

2 tbsp curd (yogurt)

a pinch of nutmeg (jaiphal)

METHOD

❶ Grind all the ingredients of the paste together in a mixer. Keep aside.

❷ In a microproof bowl add oil, mustard seeds, sliced and grated onion. Mix well. Microwave for 10 minutes.

❸ Add chicken and the prepared paste. Mix. Microwave covered for 8 minutes.

❹ Add peanuts, grated coconut, haldi and salt and grill for 5 minutes.

❺ Add readymade tomato puree. Mix well and microwave for 4 minutes.

❻ Add lemon juice, mix and serve hot.

व्यक्ति: 4

सामग्री

500 ग्राम चिकन हड्डी के साथ

2 प्याज़ - कदुकस कर लें

2 प्याज़ - स्लाईस करें

4 बड़े च. तेल

2 छोट च. सरसों

2 बड़े च. भूनी हुई मूंगफली

4 बड़े च. कदुकस किया हुआ ताज़ा नारियल

½ छोटा च. हल्दी पाउडर

1½ छोटा च. नमक - स्वादानुसार

4 बड़े च. टमॉटो प्यूरी

3 बड़े च. नींबू का रस

पेस्ट

2 खूखी लाल मिर्च, 1" टुकड़ा अदरक

2 बड़े च. काजू

2 छोटे च. धनिया पाउडर

2 लौंग

6 साबुत काली मिर्च

2 बड़े च. दही

चुटकी भर जायफल

विधि

❶ पेस्ट की सभी सामग्री को एक साथ मिक्सी में पीस लें। अलग रखें।

❷ माईक्रोप्रूफ बाउल में तेल, सरसों, स्लाईस और कदुकस किया हुआ प्याज़ डालें। अच्छे से मिलायें और 10 मिनिट के लिए माईक्रोवेव करें।

❸ चिकन और तैयार किया हुआ पेस्ट डालकर अच्छे से मिलायें। ढ़कें और 8 मिनिट के लिए माईक्रोवेव करें।

❹ मूंगफली, कदुकस किया हुआ नारियल, हल्दी और नमक डालें और 5 मिनिट के लिए ग्रिल करें।

❺ रेडिमेड टमॉटो प्यूरी डालें। अच्छे से मिलायें और 4 मिनिट के लिए माईक्रोवेव करें।

❻ नींबू का रस डालकर मिलायें और गरम परोसें।

Achaari Bhindi

Picture on page 95

Crispy fried ladys fingers with pickle spices.

Serves 4

INGREDIENTS

500 gm bhindi (lady's finger)

1 tsp ginger paste

½ tsp red chilli powder

1 tsp dhania powder

½ tsp amchoor, ½ tsp garam masala

¾ tsp salt, or to taste

2 big tomatoes - chopped

1 tsp lemon juice

ACHAARI SPICES

a pinch of hing (asafoetida)

1 tsp saunf (fennel), ½ tsp rai (mustard seeds)

½ tsp kalonji (onion seeds)

METHOD

❶ Wash bhindi and wipe dry. Cut the tip of the head of each bhindi, leaving the pointed end as it is. Now cut the bhindi vertically from the middle making 2 smaller pieces from each bhindi.

❷ Keep bhindi in a dish. Sprinkle 2 tbsp oil on it. Mix well. Put them in the oven on combination mode (micro+grill) for 15 minutes or till cooked and crisp. Keep aside.

❸ In the separate small dish put 2 tbsp oil and achari spices. Microwave for 3 minutes.

❹ To the bhindi, add achari spices, dry masala powders, salt, ginger paste, tomatoes and lemon juice. Mix very well. Microwave for 4 minutes.

व्यक्तिः 4

सामग्री

500 ग्राम भिण्डी

1 छोटा च. अदरक पेस्ट

½ छोटा च. लाल मिर्च पाउडर

1 छोटा च. धनिया पाउडर

½ छोटा च. अम्चूर, ½ छोटा च. गरम मसाला

¾ छोटा च. नमक या स्वादानुसार

2 बड़े टमाटर – कटे हुए

1 छोटा च. नींबू का रस

अचारी मसाले

चुटकी भर हींग

1 छोटा च. सौंफ, ½ छोटा च. राई

½ छोटा च. कलौंजी

विधि

❶ भिण्डी धोएँ और पोंछ लें। प्रत्येक भिण्डी के ऊपर से ऊपरी भाग काट दें निचला नोकीला भाग छोड़ दें। प्रत्येक भिण्डी को बीच में से काट कर 2 छोटे टुकड़े कर लें।

❷ भिण्डी को डिश में रखें और 2 बड़े च. तेल छिड़क कर अच्छे से मिलायें। माईक्रोवेव ऑवन को कॉम्बिनेशन मोड (माईक्रो+ग्रिल) पर 15 मिनिट के लिए सैट करें। भिण्डी 15 मिनिट के लिए या कुरकरे होने तक पकायें। अलग रखें।

❸ किसी छोटी डिश में 2 बड़े च. तेल और अचारी मसाले डालें। 3 मिनिट के लिए माईक्रोवेव करें।

❹ भिण्डी में अचारी मसाले, सूखे मसाले पाउडर, नमक, अदरक पेस्ट, टमाटर और नींबू का रस अच्छे से मिलायें। 4 मिनिट के लिए माईक्रोवेव करें। गरम परोसें।

Chicken Haldighati

Whole coriander seeds and peppercorns combined deliciously with chicken.

Serves 4

INGREDIENTS

½ kg chicken with bones - cut into 6 pieces
5 onions - cut into fine rings (circles)
1 tsp lemon juice
5 tbsp oil
½ cup milk
½ cup cream or well beaten malai
1½ tbsp chopped coriander

WET PASTE

1 cup dahi (curd)
2 green chillies, 1" piece ginger
1½ tsp saboot dhania (coriander seeds)
1 tsp jeera (cumin seeds)
6 saboot kali mirch (pepper corns)
4 laung (cloves)
1 tsp haldi (turmeric powder)
¾ tsp coriander (dhania) powder
½ tsp garam masala
½ tsp red chilli powder
1½ tsp salt or to taste

METHOD

1. Grind all ingredients of the wet paste together in a mixer to a paste.
2. Put oil and onion rings in a microproof dish. Mix. Microwave for 10 minutes.
3. Add chicken, mix. Microwave covered for 8 minutes.
4. Add the prepared ground wet paste and chopped coriander. Mix well. Microwave for 5 minutes.
5. Add milk and cream or malai. Mix and microwave for 2 minutes.
6. Remove from microwave. Sprinkle lemon juice. Serve hot.

व्यक्तिः 4

सामग्री

½ किलो चिकन हड्डी के साथ - 6 टुकड़ों में काट लें
5 प्याज़ - बारीक छल्लों में काट लें
1 छोटा च. नींबू का रस
5 बड़े च. तेल
½ कप दूध
½ कप क्रीम या फैंटी हुई मलाई
1½ बड़ा च. कटा हुआ हरा धनिया

गीला पेस्ट

1 कप दही
2 हरी मिर्च, 1" टुकड़ा अदरक
1½ छोटा च. साबुत धनिया
1 छोटा च. जीरा
6 साबुत काली मिर्च
4 लौंग
1 छोटा च. हल्दी
¾ छोटा च. धनिया पाउडर
½ छोटा च. गरम मसाला
½ छोटा च. लाल मिर्च पाउडर
1½ छोटा च. नमक या स्वादानुसार

विधि

1. गीले पेस्ट की सभी सामग्री को एक साथ मिक्सी में पीसकर पेस्ट बना लें।
2. माईक्रोप्रूफ डिश में तेल और प्याज़ के छल्ले रखें, 10 मिनिट के लिए माईक्रोवेव करें।
3. चिकन डालकर मिलायें। ढ़कें और 8 मिनिट के लिए माईक्रोवेव करें।
4. पिसा हुआ तैयार पेस्ट और कटा हुआ हरा धनिया डालें। अच्छे से मिलायें और 5 मिनिट के लिए माईक्रोवेव करें।
5. दूध और क्रीम या मलाई डालकर मिलायें और 2 मिनिट के लिए माईक्रोवेव करें।
6. माईक्रोवेव से निकालें। नींबू का रस छिड़कें। गरम परोसें।

Baigan ka Bharta

Serves 3-4

INGREDIENTS

1 medium brinjal (350 gm)
2 onions - chopped finely
½ cup ready-made tomato puree
1 tomato - chopped
½" piece ginger - chopped finely
1 green chilli - chopped
2 tsp coriander (dhania) powder
½ tsp garam masala
½ tsp degi mirch or red chilli powder
1 tsp salt

METHOD

❶ Place brinjal in a microproof flat dish. Microwave for 5 minutes. Let it cool down. Cut into half and scoop out the pulp. Mash the pulp with a fork and keep pulp aside.

❷ In the same dish, put oil, onions, ginger, green chilli, dhania powder, garam masala, degi mirch and microwave for 7 minutes.

❸ Add brinjal pulp and cook on combination mode (micro + grill) for 10 minutes.

❹ Add chopped tomato and tomato puree and 1 tsp salt. Mix well. Microwave for 6 minutes. Serve hot.

व्यक्तिः 3-4

सामग्री

1 मध्यम बैंगन (350 ग्राम)
2 प्याज़ – बारीक कटे हुए
½ कप रेडिमेड् टमॉटो प्यूरी
1 टमाटर – कटा हुआ
½" टुकड़ा अदरक – बारीक कटा हुआ
1 हरी मिर्च – कटी हुई
2 छोटे च. धनिया पाउडर
½ छोटा च. गरम मसाला
½ छोटा च. देगी मिर्च या लाल मिर्च पाउडर
1 छोटा च. नमक

विधि

❶ बैंगन को माईक्रोप्रूफ चपटी डिश में रखें। 5 मिनिट के लिए माईक्रोवेव करें। ठण्डा होने दें। आधा काटें और गूद्दे को स्कूप करके निकालें और अलग रखें। काँटे से गूद्दे को मैश करें और अलग रखें।

❷ इसी डिश में तेल, प्याज़, अदरक, हरी मिर्च, धनिया पाउडर, गरम मसाला, देगी मिर्च डालें और 7 मिनिट के लिए माईक्रोवेव करें।

❸ बैंगन का गूद्दा डालें और कॉम्बिनेशन मोड (माईक्रो+ग्रिल) पर 10 मिनिट के लिए पकायें।

❹ कटे हुए टमाटर, टमॉटो प्यूरी और 1 छोटा च. नमक डालें। अच्छे से मिलायें और 6 मिनिट के लिए माईक्रोवेव करें। गरम परोसें।

Crispy Achaari Mirch

Peppers filled with rice with some pickle masala and grilled with a semolina coating till crisp.

Serves 6

INGREDIENTS

125 gms (6) big, fat green chillies (achari hari mirch) or 3 small capsicums

FILLING

1½ cups boiled rice, ¼ cup vinegar
½ tsp brown mustard seeds (rai)
½ tsp cumin seeds (jeera)
½ tsp fennel seeds (saunf)
1 onion - chopped
¼ tsp turmeric powder (haldi)
2 tsp of any achaar ka masala (preferably use aam ka aachar)
1 tomato - chopped
½ tsp salt, 1 tsp tomato ketchup

COATING

2 tbsp flour (maida), 4 tbsp semolina (suji)
¼ tsp salt, ¼ tsp garlic paste

METHOD

1. Slit the chillies and remove the seeds. Pour vinegar on them and sprinkle ¼ tsp salt on them. Mix. Keep aside.
2. In a microproof dish put 1 tbsp oil, jeera, rai, saunf, chopped onion, and haldi. Mix well. Microwave for 5 minutes.
3. Add boiled rice, aam ke aachar ka masala, ½ tsp salt, chopped tomato and tomato ketchup. Mix well.
4. Fill each mirchi with the filling. Fill as much as the mirchi can take.
5. Mix ingredients of coating in a plate.
6. Put 2-3 tbsp oil in a bowl. Dip the sides of the mirchi in the oil and then immediately roll over the coating spread in the plate. Coat all the sides of the mirchi with the coating mixture nicely.
7. Grill for 12-15 minutes or till golden. Serve hot.

व्यक्ति: 6

सामग्री

125 ग्राम (6) बड़ी मोटी हरी मिर्च या 3 छोटी शिमला मिर्च

भरावन

1½ कप उबले हुए चावल, ¼ कप सिरका
½ छोटा च. राई
½ छोटा च. जीरा, ½ छोटा च. सौंफ
1 प्याज़ - कटी हुई
¼ छोटा च. हल्दी पाउडर
2 छोटे च. कोई भी अचार का मसाला - (आम का अचार इस्तेमाल करना बेहतर है)
1 टमाटर - बारीक काट लें
½ छोटा च. नमक, 1 छोटा च. टमॉटो सॉस

परत चढ़ाने के लिए

2 बड़े च. मैदा, 4 बड़े च. सूजी
¼ छोटा च. नमक
¼ छोटा च. लहसुन पेस्ट

विधि

1. हरी मिर्च को चीर कर बीज निकाल दें। सिरके में डालकर ¼ छोटा च. नमक छिड़क दें। मिलायें और अलग रख दें।
2. माईक्रप्रूफ डिश में 1 बड़ा च. तेल, जीरा, राई, सौंफ, कटी हुई प्याज़ और हल्दी डालकर अच्छे से मिलायें। 5 मिनिट के लिए माईक्रोवेव करें।
3. उबले हुए चावल, आम के अचार का मसाला, ½ छोटा च. नमक, कटे हुए टमाटर और टमॉटो सॉस डालकर अच्छे से मिला लें।
4. प्रत्येक मिर्च को भरावन से भर दें। जितना मसाला मिर्च में आ सके उतना भरें।
5. प्लेट में परत चढ़ाने की सामग्री को मिला लें।
6. 2-3 बड़े च. तेल बाउल में रखें। मिर्च की साईडों को तेल में डुबोकर तुरन्त प्लेट में फैले हुए मिक्सचर से मिर्च की सभी साईडों पर परत चढ़ायें।
7. 12-15 मिनिट के लिए ग्रिल करें या सुनहरा होने तक ग्रिल करें। गरम परोसें।

Bharwan Baingan

Brinjals stuffed with a crunchy sesame filling.

Serves 4

INGREDIENTS

8 (300 gm) small brinjals (baingans)

3 tbsp oil

½ tsp cumin seeds (jeera)

1 onion - grated

1½ tsp ginger-garlic paste

¼ tsp each of - sugar, salt, garam masala and red chilli powder

1 tsp full tamarind (imli)

STUFFING (MIX TOGETHER)

2 tbsp roasted peanuts - crushed roughly

2 tsp sesame seeds (til)

1 tsp salt, ½ tsp amchoor,

½ tsp haldi, ½ tsp sugar

½ tsp red chilli pd, ½ tsp garam masala

2 tsp dhania powder

2 tsp oil

METHOD

1. Put imli with ½ cup water in a small bowl. Microwave for 1 minute. Let it cool. Mash and extract juice and keep aside

2. Wash and slit brinjals, making cross cuts, a little more than half way.

3. Mix all ingredients of the stuffing nicely. Fill the paste in the baingans.

4. Arrange brinjals in a dish. Pour 2 tbsp oil on them. Microwave covered for 8 minutes. Remove from dish & keep aside.

5. In the same dish put 1 tbsp oil, jeera, onion and ginger-garlic paste. Mix well and microwave for 4 min.

6. Add tamarind juice, ¼ tsp of sugar, salt, garam masala and red chilli powder. Mix well. Add cooked brinjals and mix gently for the masala to coat. Microwave covered for 2 minutes. Serve hot.

व्यक्तिः 4

सामग्री

8 (300 ग्राम) छोटे बैंगन

3 बड़े च. तेल

½ छोटा च. जीरा

1 प्याज़ – कद्दुकस किया हुआ

1½ छोटा च. अदरक-लहसुन पेस्ट

¼ छोटा च. (प्रत्येक का) चीनी, नमक, गरम मसाला और लाल मिर्च पाउडर

1 छोटा च. इमली

भरावन (एक साथ मिला लें)

2 बड़े च. भूनी हुई मूंगफली – दरदरी पीसें

2 छोटे च. तिल

1 छोटा च. नमक, ½ छोटा च. अमचूर

½ छोटा च. हल्दी, ½ छोटा च. चीनी

½ छोटा च. लाल मिर्च पाउडर

½ छोटा च. गरम मसाला

2 छोटे च. धनिया पाउडर

2 छोटे च. तेल

विधि

1. छोटे बाउल में ½ कप पानी के साथ इमली रखें और 1 मिनिट के लिए माईक्रोवेव करें। ठण्डा होने दें। मैश करें और रस निकाल कर अलग रखें।

2. बैंगन को धोएँ और क्रास चीर लगाकर आधे से थोड़ा ज़्यादा नीचे तक काट ले।

3. भरावन की सभी सामग्री को अच्छे से मिलायें। बैंगन में पेस्ट भरें।

4. बैंगन को डिश में रखें और 2 बड़े च. तेल डालें। ढक कर 8 मिनिट के लिए माईक्रोवेव करें। डिश में से बैंगन निकालें और अलग रखें।

5. इसी डिश में 1 बड़ा च. तेल, जीरा, प्याज़ और अदरक-लहसुन पेस्ट डालें। अच्छे से मिलायें और 4 मिनिट के लिए माईक्रोवेव करें।

6. इमली का रस, ¼ छोटा च. चीनी, नमक, गरम मसाला और लाल मिर्च पाउडर डालें। अच्छे से मिलायें। पके हुए बैंगन डालें और धीरे से मसाले की परत चढ़ायें। ढक कर 2 मिनिट के लिए माईक्रोवेव करें। गरम परोसें।

Mili-Juli-Subzi

Mixed vegetables flavoured with cardamoms.

Serves 4

INGREDIENTS

1 big potato
200 gm (1 packet of 15- 20 pieces) baby cabbage (brussel sprouts) - trim the stalk end or use ½ of a small cabbage - cut into 1" pieces
100 gms baby corns (7-8) - keep whole
½ cup peas (matar)
1 carrot - cut into ¼" pieces (½ cup)
8-10 french beans - cut into ½" pieces
15 cherry tomatoes or 2 regular tomatoes - cut into 4, remove pulp

ONION PASTE (GRIND TOGETHER)

1 onion, 2 cloves (laung)
seeds of 2 green cardamoms (illaichi)

TOMATO PASTE (GRIND TOGETHER)

2 tomatoes
¼ cup curd
¼ tsp haldi, 1 tsp salt, ½ tsp chilli pd
½ tsp garam masala, ½ tsp degi mirch

METHOD

1. Peel potatoes and make balls with the help of a melon scooper.
2. Put 1 cup of water, 2 tsp salt, potato balls in a deep bowl & microwave for 5 minutes.
3. To the same water add cabbage, baby corns, peas, carrots and french beans. Microwave covered for 2 minutes. Strain.
4. Put 3 tbsp oil & onion paste in a microproof bowl. Microwave for 5 minutes.
5. Add tomato paste. Mix. Microwave for 7 minutes.
6. Add ½ cup water and vegetables. Mix well. Microwave covered for 3 minutes. Serve hot.

व्यक्ति: 4

सामग्री

1 बड़ा आलू
200 ग्राम (1 पैकेट में 15-20 पीस) बेबी बन्द गोभी (ब्रसल स्प्राउट) - तने को काट लें या ½ छोटा बन्द गोभी - 1" टुकड़ों में काट लें
100 ग्राम बेबी कॉर्न (7-8) - साबुत रखें
½ कप मटर
1 गाजर - ¼" टुकड़ों में काटें (½ कप)
8-10 फ्रांस बीन - ½" टुकड़ों में काट लें
15 चेरी टमाटर या 2 छोटे टमाटर 4 टुकड़ों में काटकर गूद्दा निकाल लें

प्याज़ की पेस्ट

1 प्याज़, 2 लौंग, 2 छोटी इलायची के बीज

टमॉटो पेस्ट

2 टमाटर, ¼ कप दही
¼ छोटा च. हल्दी
1 छोटा च. नमक, ¼ छोटा च. लाल मिर्च पाउडर, ½ छोटा च. गरम मसाला
½ छोटा च. देगी मिर्च

विधि

1. आलू छीलें और मेलन स्कूपर की सहायता से गोलियाँ बनायें।
2. 1 कप पानी, 2 छोटे च. नमक और आलू की गोलियाँ एक गहरे बाउल में डाल कर 5 मिनिट के लिए माईक्रोवेव करें।
3. इसी पानी में बन्द गोभी, बेबी कॉर्न, मटर, गाजर और फ्रांस बीन डालें। ढ़क कर 2 मिनिट के लिए माईक्रोवेव करें। निकालें।
4. 3 बड़े च. तेल और प्याज़ पेस्ट माईक्रोप्रूफ बाउल में रखें और 5 मिनिट के लिए माईक्रोवेव करें।
5. टमॉटो पेस्ट डालें। मिलायें। 7 मिनिट के लिए माईक्रोवेव करें।
6. ½ कप पानी और सब्ज़ियाँ डालें। अच्छे से मिलायें और 3 मिनिट के लिए माईक्रोवेव करें। गरम परोसें।

Murg Jalfrezi

Picture on page 22

Boneless chicken strips lightly coated with a tomato masala.

Serves 4

INGREDIENTS

½ kg boneless chicken - cut into thin long strips

2 tbsp oil

1 capsicum - cut into strips

¼ cup cream or malai

PASTE (GRIND TOGETHER)

6 flakes garlic

1½" piece ginger

3 tomatoes

1 tbsp tomato sauce

1 tsp salt

½ tsp garam masala

½ tsp jeera (cumin) powder

½ tsp red chilli powder

¼ tsp haldi

1 tsp coriander (dhania) powder

¼ tsp pepper (optional)

3 tbsp oil

METHOD

❶ Grind together all the ingredients written under paste to a smooth paste in a mixer.

❷ In a microproof deep dish add the chicken and oil. Microwave covered for 6 minutes.

❸ Add the prepared tomato paste. Mix well. Microwave covered for 8 minutes.

❹ Add cream and capsicum. Mix. Microwave for 3 minutes.

❺ Garnish with chopped coriander leaves and garam masala. Serve hot.

व्यक्ति: 4

सामग्री

½ किलो बिना हड्डी का चिकन – लम्बे पतले टुकड़े काट लें, 2 बड़े च. तेल

1 शिमला मिर्च – लम्बे पतले टुकड़े काट लें

¼ कप क्रीम या मलाई

पेस्ट (एक साथ इकट्ठा पीसें)

6 कली लहसुन

1½" टुकड़ा अदरक

3 टमाटर

1 बड़ा च. टमॉटो सॉस

1 छोटा च. नमक

½ छोटा च. गरम मसाला

½ छोटा च. जीरा पाउडर

½ छोटा च. लाल मिर्च पाउडर

¼ छोटा च. हल्दी

1 छोटा च. धनिया पाउडर

¼ छोटा च. काली मिर्च – ऐच्छिक

3 बड़े च. तेल

विधि

❶ पेस्ट के लिए दी गई सभी सामग्री को एक साथ मिक्सी में पीसकर पेस्ट बना लें।

❷ माइक्रोप्रूफ गहरी डिश में चिकन और तेल डालें। ढ़क कर 6 मिनिट के लिए माईक्रोवेव करें।

❸ तैयार किया हुआ टमाटर का पेस्ट डालकर अच्छे से मिलायें। ढ़कें और 8 मिनिट के लिए माईक्रोवेव करें।

❹ क्रीम और शिमला मिर्च डालें और 3 मिनिट के लिए माईक्रोवेव करें।

❺ कटे हुए धनिये के पत्ते और गरम मसाले से सजायें। गरम परोसें।

Grilled Besani Subzi

Gramflour & carom seeds on top of mixed vegetables give a fragrant roasted flavour when grilled.

Serves 4

INGREDIENTS

2 carrots - cut into thin round slices

2 capsicums - sliced into thin fingers

75 gm paneer - cut into thin fingers (¾ cup)

3 tbsp oil

½ tsp ajwain (carom seeds)

3 tbsp besan (gramflour)

1 tsp lemon juice

¼ tsp red chilli powder

¼ tsp dhania powder

¼ tsp haldi

2 tsp channa masala

2 tsp amchoor

1 tbsp milk

1 tsp salt

1 tomato - deseeded & cut into thin fingers

METHOD

❶ Microwave sliced carrots with ¼ cup water in a microproof dish for 3 minutes.

❷ In another microproof dish put oil, ajwain, besan, lemon juice, red chilli powder, dhania powder, haldi, channa masala and amchoor. Mix & microwave for 2 minutes.

❸ Add carrot, capsicum, paneer, milk & salt.

❹ Grill in the oven for 16 minutes. After 8 minutes, add deseeded tomatoes and mix gently with a fork and grill for the remaining 8 minutes. Serve hot.

व्यक्तिः 4

सामग्री

2 गाजर – पतले गोल स्लाईस में काट लें

2 शिमला मिर्च – पतली अँगुली जैसे काट लें

75 ग्राम पनीर-पतली अँगुली काटें (¾ कप)

3 बड़े च. तेल

½ छोटा च. अजवाईन

3 बड़े च. बेसन

1 छोटा च. नींबू का रस

¼ छोटा च. लाल मिर्च पाउडर

¼ छोटा च. धनिया पाउडर

¼ छोटा च. हल्दी

2 छोटे च. चना मसाला

2 छोटे च. अमचूर

1 बड़ा च. दूध

1 छोटा च. नमक

1 टमाटर – बीज निकाल दें और पतले अँगुली जैसे काट लें

विधि

❶ माईक्रोप्रूफ डिश में गाजर के स्लाईस और ¼ कप पानी डालें और 3 मिनिट के लिए माईक्रोवेव करें।

❷ किसी दूसरी माईक्रोप्रूफ डिश में तेल, अजवाईन, बेसन, नींबू का रस, लाल मिर्च पाउडर, धनिया पाउडर, हल्दी, चना मसाला और अमचूर डालें। मिलायें और 2 मिनिट के लिए माईक्रोवेव करें।

❸ इसमें गाजर, शिमला मिर्च, पनीर, दूध और नमक डालें।

❹ अॅवन में 16 मिनिट के लिए ग्रिल करें। 8 मिनिट के बाद, बिना बीज के टमाटर डालकर काँटे से मिलायें और बचे हुए 8 मिनिट के लिए ग्रिल करें। गरम परोसें।

Mutton Keema

Capsicums when added instead of the usual peas elevates this common mutton mince recipe.

Serves 3-4

INGREDIENTS

250 gm mutton mince (keema)

2 capsicums - chopped

2 tomatoes - chopped

2 tomatoes - pureed in a mixer

2 tbsp dry fenugreek leaves (kasoori methi),

1 tsp salt

¾ tsp garam masala

¾ tsp roasted jeera powder

2 onions - chopped

1 clove (laung)

seeds of 1 black cardamom

1 tsp chopped ginger

1 tsp chopped garlic

1 green chilli - chopped

½ tsp garam masala

½ tsp red chilli powder

½ tsp coriander (dhania) powder

2 tbsp oil

METHOD

❶ In a microproof dish add 2 tbsp oil, onion, laung, moti illiachi, ginger, chopped garlic, green chilli, garam masala, red chilli powder and dhania powder. Microwave for 7 minutes.

❷ Add keema and cook on combination mode (micro+grill) for 12 minutes.

❸ Add pureed tomatoes, chopped tomatoes, chopped capsicum, kasoori methi, salt and ¼ cup water. Mix. Microwave for 6 minutes.

❹ Sprinkle ¾ tsp garam masala and ¾ tsp roasted jeera. Serve hot.

व्यक्ति: 3-4

सामग्री

250 ग्राम मटन कीमा

2 शिमला मिर्च – कटी हुई

2 टमाटर – कटे हुए

2 टमाटर – मिक्सी में पीस लें

2 बड़े च. कसूरी मेथी

1 छोटा च. नमक

¾ छोटा च. गरम मसाला

¾ छोटा च. भुना हुआ जीरा

2 प्याज़ – कटी हुई

1 लौंग

1 बड़ी इलायची

1 छोटा च. कटी हुई अदरक

1 छोटा च. कटा हुआ लहसुन

1 हरी मिर्च – काट लें

½ छोटा च. गरम मसाला

½ छोटा च. लाल मिर्च पाउडर

½ छोटा च. धनिया पाउडर

2 बड़े च. तेल

विधि

❶ माईक्रोप्रूफ डिश में 2 बड़े च. तेल, प्याज़, लौंग, मोटी इलायची, अदरक, कटा हुआ लहसुन, हरी मिर्च, गरम मसाला, लाल मिर्च पाउडर और धनिया पाउडर डालें। 7 मिनिट के लिए माईक्रोवेव करें।

❷ कीमा डालें और ऑवन के कॉम्बिनेशन मोड (माईक्रो+ग्रिल) पर 12 मिनिट के लिए पकायें।

❸ टमाटर की प्यूरी, कटे हुए टमाटर, कटी हुई शिमला मिर्च, कसुरी मेथी, नमक और ¼ कप पानी डालकर मिलायें। 6 मिनिट के लिए माईक्रोवेव करें।

❹ ¾ छोटा च. गरम मसाला और ¾ छोटा च. भुना हुआ जीरा छिड़क दें। गरम परोसें।

Coconut Murg Pulao

Whole spices, dried red chillies and coconut milk make this rice very fragrant and spicy.

Serves 4

INGREDIENTS

2 cups basmati rice - soaked for 30 minutes in water
500 gms chicken, with or without bones - cut into 6 small pieces
7 tbsp oil
3 tsp salt, 1 tsp haldi powder
4½ cups ready-made coconut milk
3½ tbsp lemon juice

PASTE (makes ½ cup approx.)

10 dried, red chillies, 2 onions - chopped
12-14 flakes garlic, 4 tsp chopped ginger
2 tbsp cumin seeds (jeera)
2 tsp saunf (fennel)
2" stick dalchini (cinnamon)
seeds of 4 moti illaichi (cardamom)
¼ tsp grated jaiphal (nutmeg)
4 tbsp saboot dhania (coriander seeds)
4 laung (cloves)
8 saboot kali mirch (black peppercorns)

METHOD

1. For the paste grind all ingredients to a fine paste. Use little water if needed.
2. Put chicken, oil and the prepared paste in a big microproof dish. Cover and microwave for 10 minutes.
3. Drain rice. Add salt, haldi, coconut milk and the soaked rice. Mix well gently.
4. Cover and microwave for 8 minutes.
5. Sprinkle lemon juice, mix gently with a fork. Cover and microwave for 7 minutes.
6. Separate the grains with a fork. Serve after 5 minutes, garnished with lemon wedges and tomato slices.

व्यक्ति: 4

सामग्री

2 कप बासमती चावल - 30 मिनिट के लिए पानी में भिगा दें
500 ग्राम हड्डी के साथ या बिना हड्डी चिकन - 6 छोटे टुकड़ों में काट लें
7 बड़े च. तेल
3 छोटे च. नमक, 1 छोटा च. हल्दी पाउडर
4½ कप रेडिमेड् कोकोनट मिल्क
3½ बड़े च. नींबू का रस

पेस्ट (½ कप)

10 सूखी लाल मिर्च, 2 टमाटर - कटे हुए
12-14 कली लहसुन
4 छोटे च. कटी हुई अदरक
2 छोटे च. सौंफ
2" टुकड़ा दालचीनी
4 मोटी इलायची
¼ छोटा च. कदुकस किया हुआ जायफल
4 बड़े च. साबुत धनिया
8 साबुत काली मिर्च

विधि

1. पेस्ट के लिए सभी सामग्री को बारीक पीसकर पेस्ट बना लें। जरुरत हो तो थोड़ा पानी मिलायें।
2. बड़ी माईक्रोप्रूफ डिश में चिकन, तेल और पेस्ट डालें। ढ़क कर 10 मिनिट के लिए माईक्रोवेव करें।
3. चावल में से पानी निकालें। नमक, हल्दी, नारियल का दूध और भीगे हुए चावल डालें। धीरे-धीरे अच्छे से मिलायें।
4. ढ़क कर 8 मिनिट के लिए माईक्रोवेव करें।
5. नींबू का रस छिड़कें और काँटे से धीरे-धीरे मिलायें। ढ़कें और 7 मिनिट के लिए माईक्रोवेव करें।
6. काँटे से दानों को अलग करें। 5 मिनिट के बाद नींबू के टुकड़े और टमाटर के स्लाईस सजाकर परोसें।

Subz Pullao

The spice bag added to rice while being cooked with the vegetables, makes it very aromatic.

Serves 4

INGREDIENTS

1 cup basmati rice - washed and soaked

5 tbsp oil

1 tsp ginger paste, ½ tsp garlic paste

¼ tsp haldi, ½ tsp red chilli powder

1½ tsp salt or to taste

SABOOT MASALA OR SPICE BAG (*crush together & tie in a piece of muslin cloth*)

10 saboot kali mirch (pepper corns)

2 tsp saunf (fennel seeds)

3-4 chhoti illaichi (green cardamom)

3-4 moti illaichi (black cardamom)

4 laung (cloves)

2 sticks dalchini (cinnamon)

VEGETABLES

1 potato - cut into ½" pieces

½ of a small cauliflower - cut into florets

2 carrots - cut into ½" pieces

1 cup green peas

1 tomato - cut into 8 pieces

2-3 green chillies - cut into thin strips

1 tbsp mint leaves, 1 tsp lemon juice

METHOD

❶ In a broad microproof dish, put oil, ginger, garlic, cauliflower, potato, carrots and peas. Microwave for 3 minutes.

❷ Drain the soaked rice. Add rice, 2 cups water, haldi, red chilli pd & salt. Add the spice bag. Microwave covered for 6 minutes.

❸ Add tomatoes, mint, coriander, green chillies and lemon juice. Stir gently with a fork. Cover and microwave for 7 minutes. Wait for 5 minutes. Fluff with a fork. Remove spice bag. Serve.

व्यक्तिः 4

सामग्री

1 कप बासमती चावल – साफ करें और पानी में भिगा दें

5 बड़े च. तेल

1 छोटा च. अदरक पेस्ट

½ छोटा च. लहसुन पेस्ट

¼ छोटा च. हल्दी

½ छोटा च. लाल मिर्च पाउडर

1½ छोटे च. नमक या स्वादुनुसार

साबुत मसालों की पोटली (*एक साथ कूट लें और मलमल के कपड़े में बाँध दें*)

10 साबुत काली मिर्च, 2 छोटे च. सौंफ

3-4 छोटी इलायची, 3-4 मोटी इलायची

4 लौंग, 2 टुकड़े दालचीनी

सब्ज़ियाँ

1 आलू – ½" टुकड़ों में काट लें

½ छोटी फूलगोभी – टुकड़ों में काट लें

2 गाजर – ½" टुकड़ों में काट लें

1 कप हरी मटर

1 टमाटो – 8 टुकड़ों में काट लें

2-3 हरी मिर्च – लम्बी पतली काट लें

1 बड़ा च. पुदीने के पत्ते, 1 छोटा च. नींबू का रस

विधि

❶ चौड़ी माईक्रोप्रूफ डिश में तेल, अदरक, लहसुन, फूलगोभी, आलू, गाजर और मटर रखें। 3 मिनिट के लिए माईक्रोवेव करें।

❷ भीगे हुए चावल छान लें। चावल, 2 कप पानी, हल्दी, लाल मिर्च पाउडर और नमक डालें। मसालों की पोटली भी डालें। ढ़क कर 6 मिनिट के लिए माईक्रोवेव करें।

❸ टमाटर, पुदीना, धनिया, हरी मिर्च और नींबू का रस डालकर काँटे से धीर-धीरे चलायें। ढ़कें और 7 मिनिट के लिए माईक्रोवेव करें। 5 मिनिट के लिए इंतजार करें। काँटे से दानों को अलग करें। मसालों की पोटली निकाल दें। परोसें।

Honey Chilli Veggies

Sweet and spicy mixed vegetables with Chinese sauces.

Serves 4

INGREDIENTS

1 large carrot

8-10 mushrooms - keep whole

8-9 baby corns - keep whole if small and divide
into two lengthwise, if thick

1½ cups cauliflower or broccoli - cut into small,
flat florets, 1 onion - cut into 8 pieces

1 capsicum - cut into ½" cubes

4 tbsp oil

2-3 dry, red chillies - broken into bits &
deseeded, 15 flakes garlic - crushed

¾ tsp salt and ¼ tsp pepper, or to taste

a pinch ajinomoto (optional)

1½ tbsp vinegar, 1 tsp soya sauce

2½ tbsp tomato ketchup

2-3 tsp red chilli sauce

3-4 tsp honey, according to taste

3 tbsp cornflour dissolved in ½ cup water
alongwith 1 seasoning cube

METHOD

❶ Dissolve cornflour in ½ cup water. Add seasoning cube & keep aside.

❷ Put oil, broken red chillies, garlic, baby corns, mushrooms, carrots, cauliflower and onion in a microproof dish. Mix well. Microwave for 5 minutes.

❸ Add pepper, salt, ajinomoto, chilli sauce, tomato sauce, soya sauce, honey, and vinegar. Mix and microwave for 1 minute.

❹ Add capsicum and dissolved cornflour and mix. Microwave for 3 minutes or till the vegetables are crisp-tender and the sauce coats the veggies. Mix well before serving. Serve hot with rice or noodles.

व्यक्तिः 3-4

सामग्री

1 बड़ी गाजर

8-10 मशरुम - साबुत रखें

8-9 बेबी कॉर्न - मोटे होने पर लम्बाई में 2
हिस्सों में काट दें, छोटे हों तो साबुत रखें

1½ कप फूलगोभी या ब्रोकोली - छोटे फूल
में काट लें, 1 प्याज़ - 8 पीसों में काट लें

1 शिमला मिर्च - ½" टुकड़ों में काट लें

4 बड़े च. तेल

2-3 सूखी लाल मिर्च - टुकड़ों मे तोड़ लें
और बीज निकाल दें

15 कली लहसुन - दरदरा पीस लें

¾ छोटा च. नमक और ¼ छोटा च. काली
मिर्च या स्वादानुसार, चुटकी भर अजीनोमोटो

1½ बड़ा च. सिरका, 1 छोटा च. सोया सॉस

2½ बड़े च. टमॉटो सॉस

2-3 छोटे च. रेड् चिली सॉस

3-4 छोटे च. शहद - स्वादानुसार

3 बड़े च. कॉर्नफ्लार ½ कप पानी में 1
सीज़निंग क्यूब के साथ घोल लें

विधि

❶ कॉर्नफ्लार ½ कप पानी में घोलें। सीज़निंग क्यूब डालें और अलग रखें।

❷ तेल, लाल मिर्च के टुकड़े, लहसुन, बेबी कॉर्न, मशरुम, गाजर, फूलगोभी और प्याज़ अच्छे से एक डिश में मिलायें और 5 मिनिट के लिए माईक्रोवेव करें।

❸ काली मिर्च, नमक, अजीनोमोटो, चिली सॉस, टमॉटो सॉस, सोया सॉस, शहद और सिरका डालें। अच्छे से मिलायें और 1 मिनिट के लिए माईक्रोवेव करें।

❹ शिमला मिर्च और कॉर्नफ्लार डालकर मिलायें। 3 मिनिट के लिए माईक्रोवेव करें। सब्जियाँ पकने पर कुरकुरी रहें और उन पर सॉस की परत चढ़ने तक माईक्रोवेव करें। परोसने से पहले अच्छे से मिला लें। चावल या नूडल्स के साथ गरम परोसें।

Paneer in Hot Garlic Sauce

Cottage cheese can be substituted with tofu if available.

Serves 3-4

INGREDIENTS

200 gm paneer

1 capsicum - cut into tiny cubes

3 tbsp oil

20 flakes garlic - crushed (1½ tbsp)

2 dry, red chillies - broken into bits

4 tbsp tomato ketchup

2 tsp red chilli sauce

2 tsp Soya sauce

½ tsp pepper, 1 tsp salt

a pinch sugar, 2 tsp vinegar

¼ tsp ajinomoto (optional)

1½ cups water

2 tbsp cornflour mixed with ½ cup water

METHOD

1. Put oil, garlic, red chilli bits, tomato ketchup, red chilli sauce, soya sauce, pepper and ajinomoto in a microproof dish. Mix well, microwave for 2 minutes.
2. Add water, salt, sugar and vinegar. Mix and microwave for 6 minutes.
3. Add cornflour paste, microwave for 3 minutes or more till slightly thick. Mix.
4. Cut paneer into 1" cubes.
5. At serving time, add paneer and capsicum to the sauce and microwave for 2 minutes. Mix well before serving. Serve with noodles or rice.

व्यक्तिः 3-4

सामग्री

200 ग्राम पनीर

1 शिमला मिर्च - छोटे टुकड़ों में काट लें

3 बड़े च. तेल

20 कली लहसुन - दरदरा पीसें (1½ बड़ा च.)

2 खूखी लाल मिर्च - टुकड़ों में तोड़ लें

4 बड़े च. टमॉटो सॉस

2 छोटे च. रेड् चिली सॉस

2 छोटे च. सोया सॉस

½ छोटा च. काली मिर्च, 1 छोटा च. नमक

चुटकी भर चीनी, 2 छोटे च. सिरका

¼ छोटा च. अजीनोमोटो - ऐच्छिक

1½ कप पानी

2 बड़े च. कॉर्नफ्लार ½ कप पानी के साथ मिला लें

विधि

1. तेल, लहसुन, लाल मिर्च के टुकड़े, टमॉटो सॉस, रेड् चिली सॉस, सोया सॉस, काली मिर्च और अजीनोमोटो माईक्रोप्रूफ डिश में रखें। अच्छे से मिलायें और 2 मिनिट के लिए माईक्रोवेव करें।
2. पानी, नमक, चीनी और सिरका डालें। मिलायें 6 मिनिट के लिए माईक्रोवेव करें।
3. कॉर्नफ्लार पेस्ट डालें और 3 मिनिट के लिए माईक्रोवेव करें या थोड़ा सा गाढ़ा होने तक रखें।
4. पनीर को 1" टुकड़ों में काट लें।
5. परोसने के समय पनीर और शिमला मिर्च सॉस में डालें और 2 मिनिट के लिए माईक्रोवेव करें। परोसने से पहले अच्छे से मिला लें। नूडल्स् या चावल के साथ परोसें।

114

Garlic Chicken

Chicken coated with a tomato based sauce with lots of garlic.

<table>
<tr><td>

Serves 2-3
INGREDIENTS

200 gms chicken - cut into ½" pieces (can be boneless or with bones)

3 tbsp oil

2-3 dried red chillies - broken into pieces and deseeded

2 tbsp finely chopped garlic

1 tsp red chilli powder

1 cup tomato puree

1-2 tsp sugar (according to taste)

1 tsp soya sauce

¼ tsp ajinomoto (optional)

½ tsp salt

1 tsp sherry (optional)

1½ tbsp cornflour dissolved in 7-8 tbsp water (increase water if more sauce is desired)

METHOD

❶   In the dish, mix oil, broken red chillies, red chilli powder and chopped garlic. Microwave for 3 minutes uncovered.

❷   Add chicken and all other ingredients except cornflour. Microwave covered for 5 minutes.

❸   Add cornflour paste. Mix well. Microwave uncovered for 3 minutes or till sauce boils.

❹   Let it stand for 2-3 minutes. Mix well before serving.

</td><td>

व्यक्तिः 2-3
सामग्री

200 ग्राम चिकन – ½" पीसों मे काट लें (हड्डी या बिना हड्डी के भी ले सकते हैं)

3 बड़े च. तेल

2-3 सूखी लाल मिर्च – टुकड़ों में तोड़ लें और बीज निकाल दें

2 बड़े च. बारीक कटा हुआ लहसुन

1 छोटा च. लाल मिर्च पाउडर

1 कप टमॉटो प्यूरी

1-2 छोटे च. चीनी

1 छोटा च. सोया सॉस

¼ छोटा च. अजीनोमोटो – ऐच्छिक

½ छोटा च. नमक

1 छोटा च. शैरी – ऐच्छिक

1½ बड़ा च. कॉर्नफ्लार 7-8 बड़े च. पानी के साथ घोल लें

विधि

❶   तेल, लाल मिर्च के टुकड़े, लाल मिर्च पाउडर और कटा हुआ लहसुन डिश में डालें। बिना ढ़के 3 मिनिट के लिए माईक्रोवेव करें।

❷   कॉर्नफ्लार को छोड़ते हुए चिकन और अन्य सामग्री डालें। 5 मिनिट के लिए ढ़क कर माईक्रोवेव करें।

❸   कॉर्नफ्लार पेस्ट डालें और अच्छे से मिलायें। बिना ढ़के 3 मिनिट के लिए माईक्रोवेव करें या सॉस में उबाला आने दें।

❹   2-3 मिनिट के लिए रखें और परोसने से पहले अच्छे से मिला लें।

</td></tr>
</table>

Chicken in Hot Garlic Sauce

Enjoy this common Chinese dish with fried rice or noodles.

Serves 4

INGREDIENTS

250 gms chicken breast boneless
4 tbsp oil
2 tbsp chopped & crushed garlic
2 dry, red chillies - broken into bits
3 tbsp tomato ketchup
3 tsp red chilli sauce
2 tsp soya sauce
1 capsicum - cut into tiny cubes
1 big spring onion - chopped with the greens
½ tsp pepper, 1 tsp salt, a pinch sugar
¼ tsp ajinomoto (optional)
1½ cups water
1 chicken seasoning cube
2 tsp vinegar
3 tbsp cornflour

METHOD

1. Cut chicken breast into ½" pieces.
2. Put the chicken with 1 tbsp oil, in a microproof bowl. Mix well and microwave covered for 3 minutes. Remove from dish and keep aside.
3. Put 4 tbsp oil, garlic, dry red chilli pieces and white of onion in a microproof dish. Mix and microwave for 3 minutes.
4. Add ketchup, chilli sauce, soya sauce, pepper, sugar, ajinomoto, 2 cups water, crushed seasoning cube, vinegar & cornflour. Mix well. Microwave for 6 minutes. Stir once inbetween.
5. Add the cooked chicken, greens of spring onion and capsicum. Mix and microwave covered for 3 minutes or till the sauce turns thick. Check salt &add more if required.Stir well and serve hot.

व्यक्ति: 4

सामग्री

250 ग्राम चिकन ब्रेस्ट (छाती) बिना हड्डी की
4 बड़े च. तेल
2 बड़े च. दरदरा कटा हुआ लहसुन
2 खूखी लाल मिर्च - टुकड़ों में तोड़ लें
3 बड़े च. टमॉटो कैचप
3 छोटे च. रेड् चिली सॉस
2 छोटे च. सोया सॉस
1 शिमला मिर्च - छोटे टुकड़ों में काट लें
1 हरा प्याज़ - कटा हुआ
½ छोटा च. काली मिर्च, 1 छोटा च. नमक
चुटकी भर चीनी
¼ छोटा च. अजीनोमोटो - ऐच्छिक
1½ कप पानी
1 चिकन सीज़निंग क्यूब
2 छोटे च. सिरका
3 बड़े च. कॉर्नफ्लार

विधि

1. चिकन ब्रेस्ट को ½" टुकड़ों में काट लें।
2. चिकन को 1 बड़े च. तेल के साथ माईक्रोप्रूफ बाउल में रखें। अच्छे से मिलायें। 3 मिनिट के लिए माईक्रोवेव ढ़क कर करें। डिश में से निकालें और अलग रखें।
3. डिश में 4 बड़े च. तेल, लहसुन, सूखी लाल मिर्च के टुकड़े और प्याज़ का सफेद भाग माईक्रोप्रूफ डिश में रखकर 3 मिनिट के लिए माईक्रोवेव करें।
4. कैचप, चिली सॉस, सोया सॉस, काली मिर्च, चीनी, अजीनोमोटो, 2 कप पानी, दरदरी पिसी सीज़निंग क्यूब, सिरका और कॉर्नफ्लार पेस्ट अच्छे से मिला लें। 6 मिनिट के लिए माईक्रोवेव करें। बीच में एक बार चलायें।
5. पका हुआ चिकन, हरा प्याज़ और शिमला मिर्च डालें और 3 मिनिट के लिए ढ़क कर माईक्रोवेव करें या सॉस गाढ़ी होने तक रखें। परोसने से पहले अच्छे से मिला लें। गरम परोसें।

Dry Chilli Chicken

Serves 3-4

INGREDIENTS

350 gm chicken - cut into ½" pieces

½ onion - cut into slices

½" piece ginger - chopped fine

2-3 flakes garlic - chopped fine

2 tbsp soya sauce

½ tsp ajinomoto (optional)

1 tbsp vinegar

4-5 green chillies - slit lengthways

1 medium capsicum - cut into thin strips

1 tsp sugar, 1 tsp salt

2 tsp sherry or white wine (optional)

1½ tbsp cornflour mixed with ½ cup water

METHOD

❶ In a microproof dish add 3 tbsp oil, onion, ginger, garlic, soya sauce, ajinomoto and chicken pieces. Mix. Microwave covered for 5 minutes.

❷ Add all remaining ingredients. Mix. Microwave uncovered for 3 minutes. Mix and serve hot.

व्यक्ति: 3-4

सामग्री

350 ग्राम चिकन – ½" टुकड़ों में काट लें

½ प्याज़ - स्लाईस कर लें

½" टुकड़ा अदरक – बारीक काट लें

2-3 कली लहसुन – बारीक काट लें

2 बड़े च. सोया सॉस

½ छोटा च. अजीनोमोटो - ऐच्छिक

1 बड़ा च. सिरका

4-5 हरी मिर्च – लम्बाई में काट लें

1 मध्यम शिमला मिर्च – पतली लम्बी काटें

1 छोटा च. चीनी, 1 छोटा च. नमक

2 छोटे च. शैरी या वाईट वाईन – ऐच्छिक

1½ बड़ा च. कॉर्नफ्लार ½ कप पानी में मिलायें

विधि

❶ माईक्रोप्रूफ डिश में 3 बड़े च. तेल, प्याज़, अदरक, लहसुन, सोया सॉस, अजीनोमोटो और चिकन के पीस डालकर मिला लें। ढ़क कर 5 मिनिट के लिए माईक्रोवेव करें।

❷ सभी बची हुई सामग्री डालकर अच्छे से मिलायें। बिना ढ़के 3 मिनिट के लिए माईक्रोवेव करें। परोसने से पहले अच्छे से मिला लें। गरम परोसें।

Carrot Pepper Rice

Serves 2-3

INGREDIENTS

1 cup rice - soaked for 15-20 minutes

3 tbsp oil, 1 onion - sliced

1 capsicum & 1 carrot - chopped

1 tsp salt, ½ tsp freshly crushed pepper

½ tsp soya sauce

METHOD

❶ Mix oil, onion, capsicum, carrot in a big microproof dish & microwave for 3 minutes.

❷ Add rice, 2 cups water, salt, pepper and soya sauce. Microwave covered for 13 minutes. Stir once in between. Sprinkle pepper. Serve after 5 minutes.

व्यक्ति: 2-3

सामग्री

1 कप चावल – 15-20 मिनिट भिगो दें

3 बड़े च. तेल, 1 प्याज़ – स्लाईस कर लें

1 शिमला मिर्च और 1 गाजर – बारीक काटें

1 छोटा च. नमक, ½ छोटा च. ताज़ा पिसी हुई काली मिर्च, ½ छोटा च. सोया सॉस

विधि

❶ बड़ी माईक्रोप्रूफ डिश में तेल, प्याज़, शिमला मिर्च, गाजर मिलाकर 3 मिनिट के लिए माईक्रोवेव करें।

❷ चावल, 2 कप पानी, नमक, काली मिर्च और सोया सॉस डालें। 13 मिनिट के लिए ढ़क कर माईक्रोवेव करें। बीच में एक बार चलायें। काली मिर्च छिड़कें। 5 मिनिट बाद परोसें।

Stir fried Szechuan Chicken

Spicy chicken topped with spring onion greens.

Serves 5-6

INGREDIENTS

500 gm chicken - cut into 1" pieces

10 dry, red chillies

3 tbsp oil

1 tbsp garlic paste

1 tbsp (8- 10 flakes) garlic - chopped fine

5 tbsp tomato ketchup

1 tbsp vinegar

2 tbsp red chilli sauce

2 tbsp soya sauce

1 tsp sugar

1-½ tsp red chilli powder

a little red colour (optional)

¼ tsp ajinomoto (optional)

ADD LATER

2 spring onions - cut into 1" diagonal pieces

upto the greens

1 tsp salt

2 tbsp (level) cornflour

METHOD

❶ In the microproof dish, mix together oil, chopped garlic, dry red chillies, chicken, garlic paste & all the ingredients except spring onions, salt and cornflour. Mix well. Microwave covered for 8 minutes.

❷ Add spring onions, salt and cornflour dissolved in ½ cup water. Mix well. Microwave uncovered for 3 minutes or more till a thick sauce coats the chicken. Stir once inbetween.

❸ Let it stand for 2 minutes. Serve hot.

व्यक्तिः 5-6

सामग्री

500 ग्राम चिकन – 1" टुकड़ों में काट लें

10 खूखी लाल मिर्च

3 बड़े च. तेल

1 बड़ा च. लहसुन पेस्ट

1 बड़ा च. (8-10 कली) लहसुन – बारीक कटा हुआ

5 बड़े च. टमॉटो सॉस

1 बड़ा च. सिरका

2 बड़े च. रेड चिली सॉस

2 बड़े च. सोया सॉस

1 छोटा च. चीनी

1-½ छोटा च. लाल मिर्च पाउडर

थोड़ा सा लाल रंग – ऐच्छिक

¼ छोटा च. अजीनोमोटो – ऐच्छिक

अन्त में

2 हरे प्याज़ – 1" तिरछे टुकड़ों में काट लें

1 छोटा च. नमक

2 बड़े च. कॉर्नफ्लार

विधि

❶ नमक, हरे प्याज़ और कॉर्नफ्लार को छोड़ते हुए माईक्रोप्रूफ डिश में तेल, कटा हुआ लहसुन, सूखी लाल मिर्च, चिकन, लहसुन पेस्ट डालें और बाकी की सभी सामग्री को एक साथ अच्छे से मिला लें। 8 मिनिट के लिए ढ़क कर माईक्रोवेव करें।

❷ हरा प्याज़, नमक और ½ कप पानी में कॉर्नफ्लार घोल कर डिश में डालकर अच्छे से मिलायें। 3 मिनिट के लिए बिना ढ़के माईक्रोवेव करें या चिकन पर सॉस की परत चढ़ने तक रखें। बीच में एक बार चलायें।

❸ 2 मिनिट के लिए रखें। गरम परोसें।

Corn in Soya Sauce

Perfectly cooked corn in the microwave put in a sauce flavoured predominantly with soya sauce.

Serves 2

INGREDIENTS

1 corn on the cob with the green husk (saboot bhutta with chilka)
5-6 small spring onions
½ cup cabbage cut into 1" pieces
1 vegetable seasoning cube - crushed
1 green chilli - chopped
2 tbsp oil
¼ tsp pepper
1 tsp mustard paste
1½ tsp soya sauce
1 tbsp cornflour dissolved in ¾ cup water & ¼ cup milk

METHOD

1. Push down the husk of the corn a little to open slightly and wash the corn on the cob. Pull up the husk back to cover corn and microwave the full corn for 3 minutes. Remove husk from the cooked corn and scrape out the corn niblets from the corn cob with the help of a knife. Keep aside.
2. Let white portion of the spring onion remain as it is and cut the green portion into 1" pieces.
3. In a microproof dish mix white bulbs of spring onions, cabbage pieces, crushed seasoning cube, chopped green chilli, oil, pepper, mustard paste and soya sauce. Microwave uncovered for 2 minutes.
4. Add cornflour paste. Mix well. Microwave uncovered for 3 minutes or till sauce boils and thickens slightly. Stir once after 2 minutes. Add greens of spring onions.
5. Keep aside covered for 2-3 minutes. Mix well before serving. Serve hot.

व्यक्तिः 2

सामग्री

1 साबुत भुट्टा छिलके के साथ
5-6 छोटे हरे प्याज़
½ कप बन्द गोभी 1" टुकड़ों में कटी हुई
1 वेजिटेबल सीज़निंग क्यूब - दरदरी पीस लें
1 हरी मिर्च - कटी हुई
2 बड़े च. तेल
¼ छोटा च. काली मिर्च
1 छोटा च. मस्टर्ड् पेस्ट
1½ छोटा च. सोया सॉस
1 बड़ा च. कॉर्नफ्लार ¾ कप पानी और ¼ कप दूध में घोल लें

विधि

1. भुट्टे के छिलके को थोड़ा सा हटाकर भुट्टे को धो लें। छिलका वापस बन्द करके 3 मिनिट के लिए माईक्रोवेव करें। पके हुए भुट्टे से छिलका उतार दें और भुट्टे के दानों को चाकू से खुरच कर निकाल लें। अलग रखें।
2. हरे प्याज़ का हरा भाग 1" टुकड़ों मे काट लें और सफेद हिस्सा साबुत रखें।
3. माईक्रोप्रूफ डिश में हरे प्याज़ का साबुत सफेद भाग, बन्द गोभी के टुकड़े, पिसी हुई सीज़निंग क्यूब, कटी हुई हरी मिर्च, तेल, काली मिर्च, मस्टर्ड् पेस्ट और सोया सॉस मिलायें। बिना ढ़के 2 मिनिट के लिए माईक्रोवेव में रखें।
4. कॉर्नफ्लार पेस्ट डालकर अच्छे से मिलायें। बिना ढ़के 3 मिनिट के लिए माईक्रोवेव करें या सॉस में उबाला आने और गाढ़ा होने तक रखें। 2 मिनिट के बाद चलायें। प्याज़ का हरा भाग डालें।
5. 2-3 मिनिट के लिए ढ़क कर अलग रखें। परोसने से पहले अच्छे से मिला लें। गरम परोसें।

Broccoli in Butter Sauce

Broccoli in the new white Chinese sauce cooked in butter with milk and thickened with flour.

Serves 4

INGREDIENTS

250 gm (1 medium head) broccoli

1 tsp salt, 1 tsp sugar

SAUCE

1 veg seasoning cube

3 tbsp butter, 1 onion - sliced

1 tbsp crushed garlic (15 flakes)

1 tbsp chopped coriander

3 tbsp flour (maida)

1 cup milk

2 tsp mustard paste

½ tsp pepper, ¾ tsp salt, or to taste

1 cup thin cream

METHOD

❶ Cut broccoli into medium sized florets with long stalks.

❷ Put 1 cup water in a microproof bowl. Add 1 tsp salt and 1 tsp sugar and mix. Add broccoli to it and mix well. Microwave covered for 3 minutes. Drain. Refresh in cold water. Wipe dry broccoli with a clean kitchen towel.

❸ Put 3 tbsp butter in a microproof dish and microwave for 30 seconds. Add sliced onion, garlic paste and microwave for 5 minutes.

❹ Add broccoli, coriander, crushed seasoning cube and maida. Mix and microwave for 1 minute.

❺ Add milk, ¾ cup water, mustard paste, pepper and salt. Mix and microwave for 6 minutes or till sauce thickens. Stir once in between. Remove.

❻ Add cream. Mix. Keep aside till serving time. At serving time, microwave for 2 minutes.

व्यक्तिः 4

सामग्री

250 ग्राम (1 मध्यम) ब्रोकोली

1 छोटा च. नमक, 1 छोटा च. चीनी

सॉस

1 वेज सीज़निंग क्यूब

3 बड़े च. मक्खन

1 प्याज़ – स्लाईस

1 बड़ा च. दरदरा पिसा हुआ लहसुन

1 बड़ा च. कटा हुआ हरा धनिया

3 बड़े च. मैदा

1 कप दूध

2 छोटे च. मस्टर्ड पेस्ट

½ छोटा च. काली मिर्च

¾ छोटा च. नमक या स्वादानुसार

1 कप ताज़ा क्रीम

विधि

❶ ब्रोकोली को लम्बे तने के साथ मध्यम साईज़ के फूलों में काट लें।

❷ माईक्रोप्रूफ डिश में 1 कप पानी रखें। 1 छोटा च. नमक और 1 छोटा च. चीनी मिलायें। इसमें ब्रोकोली मिलायें। 3 मिनिट के लिए ढ़क कर माईक्रोवेव करें। निकालें और ठण्डे पानी में ताज़ा करें। ब्रोकोली को रसोई के तौलिये से पोंछ कर सूखा दें।

❸ 3 बड़े च. मक्खन माईक्रोप्रूफ डिश में रख कर 30 सेकिण्ड के लिए माईक्रोवेव करें। प्याज़ स्लाईस और लहसुन पेस्ट डालकर 5 मिनिट के लिए माईक्रोवेव करें।

❹ ब्रोकोली, धनिया, पिसी हुई सीज़निंग क्यूब डालें और 1 मिनिट के लिए माईक्रोवेव करें।

❺ दूध, ¾ कप पानी, मस्टर्ड पेस्ट, काली मिर्च और नमक डालें। मिलायें और 6 मिनिट के लिए माईक्रोवेव करें या सॉस गाढ़ी होने तक रखें। बीच में एक बार चलायें। माईक्रोवेव से निकालें।

❻ क्रीम डालें। परोसने के समय तक अलग रखें। परोसते समय 2 मिनिट के लिए माईक्रोवेव करें।

Chicken in Tomato Butter Sauce

White Chinese sauce flavoured with tomato chilli sauce and chopped tomatoes.

Serves 4

INGREDIENTS

250 gms boneless chicken - cut into ¼"
pieces

1 tbsp oil

2 tbsp butter

1 tbsp tomato chilli sauce

½ tsp salt or to taste

½ tsp freshly crushed peppercorns

2 tbsp maida (flour)

1 cup milk

1 capsicum - chopped finely

1 tomato - pulp removed and chopped

¾ cup water mixed with 2 tbsp cornflour

¼ cup cream

METHOD

❶ Place chicken and oil in a microproof dish. Microwave covered for 4 minutes. Remove chicken pieces from the dish.

❷ Melt butter for 30 seconds in the same microproof dish.

❸ Add chicken, salt, pepper and maida. Mix well. Microwave for 25 seconds.

❹ Add milk, mix well and microwave uncovered for 1 minute.

❺ Add ¾ cup water mixed with cornflour. Add tomato chilli sauce. Mix. Microwave for 4 minutes. Stir once inbetween.

❻ Sprinkle a few tomato pieces, chopped capsicum and cream. Mix and microwave for 1 minute. Mix well and serve sprinkled with pepper. Serve hot.

व्यक्तिः 4

सामग्री

250 ग्राम बिना हड्डी का चिकन – ¼" टुकड़ों
में काट लें

1 बड़ा च. तेल

2 बड़े च. मक्खन

1 बड़ा च. टमॉटो चिली सॉस

½ छोटा च. नमक या स्वादानुसार

½ छोटा च. ताज़ी पिसी हुई काली मिर्च

2 बड़े च. मैदा

1 कप दूध

1 शिमला मिर्च – बारीक कटी हुई

1 टमाटर – गूद्दा निकालें और काट लें

¾ कप पानी के साथ 2 बड़े च. कॉर्नफ्लार
मिला लें

¼ कप क्रीम

विधि

❶ माईक्रोप्रूफ डिश में तेल और चिकन रखें। ढ़क कर 4 मिनिट के लिए माईक्रोवेव करें। डिश से निकालें।

❷ इसी माईक्रोप्रूफ डिश में 30 सेकिण्ड के लिए मक्खन पिघला लें।

❸ चिकन के टुकड़े, नमक, काली मिर्च और मैदा डालकर अच्छे से मिला लें। 25 सेकिण्ड के लिए माईक्रोवेव करें।

❹ दूध डालें और बिना ढ़के 1 मिनिट के लिए माईक्रोवेव करें।

❺ ¾ कप पानी के साथ कॉर्नफ्लार मिलाकर डालें। टमॉटो चिली सॉस डालें। 4 मिनिट के लिए माईक्रोवेव करें। बीच में एक बार चलायें।

❻ थोड़े से टमाटर के पीस, कटी हुई शिमला मिर्च और क्रीम मिलायें और 1 मिनिट के लिए माईक्रोवेव करें। काली मिर्च छिड़क कर गरम-गरम परोसें।

Glass Noodles with Sesame Paste

Serves 6

INGREDIENTS

100 gms glass noodles or rice seviyaan

2 tbsp oil

3 spring onions - cut into rings, till the greens, keep white separate

SESAME PASTE (GRIND ALL TOGETHER)

3 tbsp sesame seeds (til) - soak for 10 minutes in

5 tbsp hot milk & 2 tbsp water

½ tsp red chilli powder or to taste

¾ tsp salt

4 flakes garlic - finely chopped

1½ tbsp soya sauce, ½ tsp sugar

METHOD

❶ Cut white spring onion into rings till the greens.

❷ In a deep bowl microwave 3 cups water with 1 tsp salt and 1 tsp oil for 8 minutes. Add noodles to hot water. Cover and keep aside for 5 minutes in hot water. Drain noodles.

❸ Wash with cold water several times. Strain. Leave them in the strainer for 15-20 minutes, turning them upside down, once after about 10 minutes to ensure complete drying. Apply 1 tsp oil on the noodles & spread on a large tray. Dry the noodles under a fan for 15-20 minutes. Keep aside till further use.

❹ Grind all ingredients of sesame paste to a smooth paste.

❺ Mix oil and white of spring onions in a microproof dish and microwave for 3 minutes.

❻ Add prepared sesame mixture, mix well and microwave for 1 minute.

❼ Add noodles, mix well. Add spring onion greens. Mix and serve hot.

व्यक्तिः 6

सामग्री

100 ग्राम ग्लॉस नूडल्स् या राईस सेविंयाँ

2 बड़े च. तेल

3 हरे प्याज़ – हरे भाग तक गोल छल्लों में काट लें और सफेद भाग को अलग रखें

सेसमी पेस्ट

3 बड़े च. तिल – 10 मिनिट के लिए 5 बड़े च. गरम दूध और 2 बड़े च. पानी में भिगोएँ

½ छोटा च. लाल मिर्च पाउडर या स्वादानुसार

¾ छोटा च. नमक

4 कली लहसुन – बारीक कटा हुआ

1½ बड़ा च. सोया सॉस, ½ छोटा च. चीनी

विधि

❶ हरे प्याज़ के सफेद भाग को गोल छल्लों में काटें।

❷ गहरी बाउल में 3 कप पानी, 1 छोटा च. नमक और 1 छोटा च. तेल डालकर 8 मिनिट के लिए माईक्रोवेव करें। नूडल्स् को गरम पानी में डालें। ढ़कें और 5 मिनिट के लिए गरम पानी में छोड़ दें। नूडल्स् छान लें।

❸ नूडल्स् को ठण्डे पानी में कई बार धोएँ। पानी से छान लें। 15-20 मिनिट के लिए चलनी में पड़े रहने दें। लगभग 10 मिनिट के बाद एक बार नूडल्स् को चलनी में ही उलट दें जिससे पूरी तरह से पानी निकल जाए। 1 छोटा च. तेल लगाकर नूडल्स् को एक बड़ी ट्रे में फैला दें। पंखे के नीचे 15-20 मिनिट के लिए सूखने दें। इस्तेमाल करने तक अलग रखें।

❹ सेसमी पेस्ट की सभी सामग्री को अच्छे से पीस लें।

❺ तेल और हरे प्याज़ का सफेद भाग माईक्रोप्रूफ डिश में डालकर 3 मिनिट के लिए माईक्रोवेव करें।

❻ तैयार किया हुआ तिल का मिक्सचर डालकर 1 मिनिट के लिए माईक्रोवेव करें।

❼ नूडल्स् डालकर अच्छे से मिलायें। हरे प्याज़ का हरा हिस्सा डालें। मिलायें और गरम परोसें।

Veggie Thai Red Curry

Mixed vegetables in a lemon flavoured, spicy red curry prepared from coconut milk.

Serves 4-6

INGREDIENTS

RED CURRY PASTE

4-5 dry, Kashmiri red chillies - soaked in ½ cup warm water for 10 minutes

½ onion - chopped

8-10 flakes garlic - peeled

1½" piece ginger - chopped

1 stalk lemon grass or rind of 1 lemon

1½ tsp coriander seeds (dhania saboot)

1 tsp cumin seeds (jeera)

6 peppercorns (saboot kali mirch)

1 tsp salt, 1 tbsp vinegar

VEGETABLES

7-8 baby corns - slit lengthwise

2 small brinjals - peeled and diced

1 small broccoli or ½ cauliflower - cut into small florets

7-8 mushrooms - sliced

OTHER INGREDIENTS

2½ cups ready made coconut milk

½ tsp soya sauce

2 tbsp chopped basil or coriander

salt to taste, ½ tsp brown sugar

METHOD

❶ Grind all the ingredients of paste with the water in which the chillies were soaked, to a very fine red paste.

❷ Mix 2 tbsp oil & red paste in a microproof dish. Microwave for 3 minutes.

❸ Add ½ cup of coconut milk, vegetables and microwave for 4 minutes.

❹ Add the rest of the coconut milk, soya sauce and chopped basil. Mix and microwave for 4 minutes.

❺ Add salt and sugar to taste. Microwave for 1 minute. Serve hot with steamed rice.

व्यक्तिः 4-6

सामग्री

रेड् करी पेस्ट

4-5 सूखी कश्मीरी लाल मिर्च – ½ कप गरम पानी में 10 मिनिट के लिए भिगो दें

½ प्याज़ - कटी हुई

8-10 कली लहसुन - कटी हुई

1½" टुकड़ा अदरक - कटा हुआ

1 स्टॉक लेमन ग्रास या 1 नींबू का छिलका

1½ छोटा च. साबुत धनिया

1 छोटा च. जीरा, 6 साबुत काली मिर्च

1 छोटा च. नमक, 1 बड़ा च. सिरका

वेजिटेबल

7-8 बेबी कॉर्न - लम्बाई में काट लें

2 छोटे बैंगन – छीलें, छोटे टुकड़ों में कातें

1 छोटी ब्रोकोली या ½ फूल गोभी – छोटे फूलों में काट लें

7-8 मशरूम - स्लाईस कर लें

अन्य सामग्री

2½ कप रेडिमेड् नारियल का दूध

½ छोटा च. सोया सॉस

2 बड़े च. कटा हुआ हरा धनिया या वेज़िल

नमक स्वादानुसार, ½ छोटा च. ब्राउन शुगर

विधि

❶ पेस्ट की सभी सामग्री को मिक्सी में पानी समेत पीसकर लाल पेस्ट तैयार करें।

❷ माईक्रोप्रूफ डिश में 2 बड़े च. तेल और लाल पेस्ट मिलायें। 3 मिनिट माईक्रोवेव करें।

❸ ½ कप नारियल का दूध और सब्जियाँ मिलाकर 4 मिनिट के लिए माईक्रोवेव करें।

❹ बचा हुआ नारियल का दूध, सोया सॉस ओर कटी हुई बेज़िल मिलायें। 4 मिनिट के लिए माईक्रोवेव करें।

❺ नमक और चीनी डालें। 1 मिनिट के लिए माईक्रोवेव करें। गरम चावल के साथ परोसें।

Thai Green Curry

Chicken in a spicy green curry prepared from green chillies, spring onions and coconut milk.

Serve 5-6

INGREDIENTS

½ kg chicken (500 gms) - cut into ½" pieces
2 tbsp oil
a tiny piece of gur (jaggery) or 1½ tsp shakkar
2 cups readymade coconut milk or 2 cups milk mixed with 1½ packets of maggi coconut powder

GREEN CURRY PASTE

9 green chillies - deseed if you like a mild curry
2 spring onions chopped along with the green part
4 lemon grass stalks - chopped or rind of 2 lemons (peel only yellow part without any white portion)
3" piece ginger
1 cup chopped coriander leaves & stalk
2 tsp jeera (cumin seeds), 2½ tsp salt
2 tbsp vinegar
3 tsp saboot dhania (coriander seeds)

METHOD

1. Prepare the green curry paste by grinding everything together given under the green paste in the grinder with about ¾ cup water.
2. In a microproof dish add, green paste & oil. Mix well. Microwave uncovered for 5 minutes.
3. Add chicken. Mix well.
4. Microwave covered for 4 minutes.
5. Add jaggery and coconut milk. Mix well so that jaggery dissolves. Microwave uncovered for 6 minutes.
6. Let it stand for 2-3 minutes. Check salt and the chicken. If not done, microwave for 1-2 minutes more.
7. Serve garnished with chopped red chillies or coriander or basil leaves.

व्यक्ति: 5-6

सामग्री

½ किलो चिकन (500 ग्राम) - ½" टुकड़ों में काट लें
2 बड़े च. तेल
एक गुड़ का छोटा टुकड़ा या 1½ छोटा च. शक्कर
2 कप रेडिमेड् नारियल का दूध

ग्रीन करी पेस्ट

9 हरी मिर्च - बीज निकाल दें
2 हरे प्याज़ हरे भाग के साथ काटें
4 लेमन ग्रास - कटी हुई या 2 नींबू का पतला छिलका (छिलके में सफेद भाग न हो)
3" टुकड़ा अदरक
1 कप कटा हुआ हरा धनिया
2 छोटे च. जीरा, 2½ छोटा च. नमक
2 बड़े च. सिरका
3 छोटे च. साबुत धनिया

विधि

1. ग्रीन करी पेस्ट की सभी सामग्री को मिक्सी में लगभग ¾ कप पानी के एक साथ इकट्ठा पीसकर हरा पेस्ट तैयार करें।
2. माईक्रोप्रूफ डिश में ग्रीन करी पेस्ट और तेल डालकर अच्छे से मिलायें। 5 मिनिट के लिए बिना ढ़के माईक्रोवेव करें।
3. चिकन डालें और अच्छे से मिलायें।
4. 4 मिनिट के लिए ढ़क कर माईक्रोवेव करें।
5. गुड़ और नारियल का दूध डालें। गुड़ को अच्छे से घुल जाने तक मिलायें। 6 मिनिट के लिए बिना ढ़के माईक्रोवेव करें।
6. 2-3 मिनिट के लिए रखें। नमक देखें और चिकन न पका हो तो 1-2 मिनिट के लिए और माईक्रोवेव करें।
7. कटी हुई लाल मिर्च या धनिया या बेज़िल के पत्तों से सजाकर सर्व करें।

Vegetable au Gratin

Mixed vegetables baked in a cheese sauce topped with bread crumbs and tomato slices.

Serves 8

INGREDIENTS

WHITE SAUCE

4 tbsp butter, 4 tbsp maida (plain flour)

2½ cups milk, salt, pepper to taste

1 tbsp tomato ketchup

VEGETABLES

10-15 french beans - cut into ¼" pieces

2 carrots - cut into small cubes

½ small cauliflower - cut into ½" florets

½ cup shelled peas

1 medium potato - cut into small cubes

½ of small ghiya (bottle gourd) - peeled & cut

into small cubes (1 cup)

TOPPING

¼ cup bread crumbs, 1 tomato - sliced

METHOD

❶ To prepare the sauce, melt butter for 50 seconds in a microproof dish.

❷ Add flour, salt, pepper, tomato ketchup. Microwave for 30 seconds.

❸ Add milk. Mix well. Microwave for 6 minutes. Keep sauce aside.

❹ Wash vegetables & put in a microproof deep bowl with 1 tsp salt and ¼ cup water. Microwave covered for 5 minutes.

❺ Mix vegetables with the prepared sauce. Add salt if required. Microwave for 3 minutes or till sauce turns thick and coats the vegetables.

❻ Arrange tomato slices over it. Sprinkle bread crumbs.

व्यक्तिः 8

सामग्री

वाईट सॉस

4 बड़े च. मक्खन, 4 बड़े च. मैदा

2½ कप दूध, नमक, काली मिर्च स्वादानुसार

1 बड़ा च. टमॉटो सॉस

वेजिटेबल

10-15 फ्रांस बीन – ¼" पीसों मे काट लें

2 गाजर – छोटे टुकड़ों में काट लें

½ छोटी फूल गोभी – ½" फूलों में काट लें

½ कप मटर के दाने

1 मध्यम आलू – छोटे क्यूब में काट लें

½ छोटा धिया – छीलें और छोटे टुकड़ों में काट लें

टॉपिंग

¼ कप ब्रेड-क्रम्बस्, 1 टमाटर के स्लाईस

विधि

❶ सॉस तैयार करने के लिए माईक्रोप्रूफ डिश में 50 सेकिण्ड के लिए मक्खन पिघलायें।

❷ मैदा, नमक, काली मिर्च, टमॉटो सॉस डालकर 30 सेकिण्ड के लिए माईक्रोवेव करें।

❸ दूध डालें और अच्छे से मिलायें। 6 मिनिट के लिए माईक्रोवेव करें। सॉस अलग रखें।

❹ सब्जियों को धोएँ और माईक्रोप्रूफ बाउल में 1 छोटा च. नमक और ¼ कप पानी के साथ 5 मिनिट के लिए ढ़क कर माईक्रोवेव करें।

❺ तैयार किये हुए सॉस के साथ सब्जियाँ मिला लें। अगर जरुरत हो तो नमक डालें। सॉस गाढ़ी होने और सब्जियों पर परत चढ़ने तक या 3 मिनिट के लिए माईक्रोवेव करें।

❻ इसके ऊपर टमाटर के स्लाईस रखें। ब्रेड-क्रम्बस् छिड़क दें।

7 Set microwave oven at 200°C using the oven (convection) mode and press start to preheat oven. Put the vegetables inside the hot oven and re-set the preheated oven again at 200°C for 30 minutes. Bake till golden brown. Serve hot.

7 माईक्रोवेव अॅवन को कॉनवेक्शन मोड 200°C पर गरम करें। गरम अॅवन के अन्दर सब्जियाँ रखें और दोबारा से अॅवन को 200°C पर 30 मिनिट के लिए सैट करें। सुनहरा ब्राउन होने तक बेक करें। गरम परोसें।

Spinach with Cheese

Cottage cheese and spinach cooked in a thick white sauce. Enjoy it with soup and bread.

Serves 4

INGREDIENTS

4 cups chopped spinach (400 gm)

1 tsp chopped garlic

2 tbsp butter

1¾ cups milk

3 tbsp flour

¾ tsp freshly ground pepper

200 gm paneer (cottage cheese) - cut into ½" cubes

¾- 1 tsp salt or to taste

METHOD

❶ Wash spinach leaves discarding the stems.

❷ Chop and wash again. Drain water.

❸ Microwave butter for 30 seconds in a microproof dish.

❹ Add chopped garlic and spinach. Mix well and microwave covered for 5 minutes.

❺ Add maida and mix well. Microwave for 30 seconds.

❻ Add milk and mix well with a beater, so that no lumps remain. Microwave for 3 minutes.

❼ Add cottage cheese, salt and freshly ground pepper. Microwave for 2 minutes. Serve with garlic bread.

व्यक्ति: 4

सामग्री

4 कप कटा हुआ पालक (400 ग्राम)

1 छोटा च. कटा हुआ लहसुन

2 बड़े च. मक्खन

1¾ कप दूध

3 बड़े च. मैदा

¾ छोटा च. ताज़ा पिसी हुई काली मिर्च

200 ग्राम पनीर (कॉटेज चीज़) ½" टुकड़ों में काट लें

¾-1 छोटा च. नमक या स्वादानुसार

विधि

❶ पालक को धोएँ और तना अलग कर दें।

❷ पालक काटें और दोबारा से धो लें। पानी से निकाल लें।

❸ माईक्रोप्रूफ डिश में मक्खन डालकर 30 सेकिण्ड के लिए माईक्रोवेव करें।

❹ कटा हुआ लहसुन और पालक डालें। अच्छे से मिलायें और ढक कर 5 मिनिट के लिए माईक्रोवेव करें।

❺ मैदा डालकर अच्छी तरह मिलायें। 30 सेकिण्ड के लिए माईक्रोवेव करें।

❻ दूध डालकर बीटर से अच्छे से मिलायें और ढेला नहीं बनने दें। 3 मिनिट के लिए माईक्रोवेव करें।

❼ पनीर, नमक और काली मिर्च मिलायें। 2 मिनिट के लिए माईक्रोवेव करें। गार्लिक ब्रेड के साथ परोसें।

Stuffed Tomatoes

Tomatoes stuffed with cottage cheese mixed with some tomato ketchup and chilli sauce.

Serves 6-8

INGREDIENTS

5 large or 6 medium sized tomatoes
100 gm cottage cheese (paneer) - mashed roughly (1 cup)
50 gm grated cheese (½ cup)
½ cup onion - chopped fine
½ cup boiled peas or corn
2 tbsp tomato ketchup
2 tbsp chilli sauce
½ tsp salt
½ tsp garam masala
1 tsp amchoor (dried mango powder)

GARNISH

a few coriander leaves

METHOD

1. Cut tomatoes into 2 halves. Remove pulp and keep inverted for 3-4 minutes.
2. Mix all other ingredients gently in a bowl, taking care not to mash the paneer.
3. Spoon filling into tomato halves and arrange in a ring on a microproof plate. Microwave at combi mode (micro+grill) for 5 minutes.
4. Allow to stand for 2 minutes. Serve hot garnished with coriander leaves.

व्यक्ति: 6-8

सामग्री

5 बड़े या 6 मध्यम साईज़ के टमाटर
100 ग्राम पनीर - दरदरा मैश करें (1 कप)
50 ग्राम कदुकस किया हुआ चीज़ (½ कप)
½ कप प्याज़ - बारीक कटी हुई
½ कप उबले हुए मटर के दाने
2 बड़े च. टमॉटो सॉस
2 बड़े च. चिली सॉस
½ छोटा च. नमक
½ छोटा च. गरम मसाला
1 छोटा च. अमचूर

सजाने के लिए

कुछ हरे धनिये के पत्ते

विधि

1. टमाटर को 2 भागों में काट लें। गूद्दा निकालें और 2-3 मिनिट के लिए उलटा करके रखें।
2. सभी सामग्री को बाउल में मिला लें, लेकिन पनीर को मैश न करें।
3. टमाटर में भरावन को भर दें और माईक्रोप्रूफ प्लेट पर रखें। माईक्रोवेव में कॉम्बी मोड (माईक्रो+ग्रिल) पर 5 मिनिट के लिए पकायें।
4. 2 मिनिट के लिए रखें। धनिये के पत्तों के साथ सजाकर गरम परोसें।

Macaroni Alfredo

Macaroni with vegetables cooked in cheese sauce. Tastes even better if grilled till golden brown.

Serves 5-6

INGREDIENTS

1 cup uncooked macaroni

100 gm mushrooms - sliced

50-100 gm baby corns - sliced (optional)

2 tbsp butter, 1 tsp oregano

1 onion or 2 spring onions - chopped along with the green parts

2½ tbsp flour (maida), 1¾ cups milk

¾ tsp salt, or to taste, ½ tsp pepper

½ tsp red chilli flakes

100 gm mozerrela cheese - grated

¼ cup cream

some tomato slices & chopped parsely

METHOD

❶ Put 1½ cups of water & 1 tsp oil in a deep microproof bowl. Microwave uncovered for 3 minutes.

❷ Add macaroni. Mix. Microwave uncovered for 5 minutes. Let it stand in hot water for 4-5 min. Drain & wash well with cold water.

❸ In another microproof flat dish, microwave butter for 30 seconds.

❹ Add oregano, spring onions, mushrooms and baby corns. Microwave uncovered for 5 minutes.

❺ Add flour. Mix well and microwave uncovered for 30 seconds.

❻ Add milk, salt, pepper & chilli flakes Mix & microwave uncovered for 6 minutes, stirring once inbetween. Microwave for 1-2 minutes more if the sauce does not turn thick.

❼ Add macaroni, cream and ½ of grated cheese. Mix well. Arrange tomato, coriander and the left over grated cheese.

❽ At serving time microwave uncovered for 2 minutes. Serve.

व्यक्तिः 5-6

सामग्री

1 कप मैक्रोनी

100 ग्राम मशरुम - स्लाईसों में काट लें

50-100 ग्राम बेबी कॉर्न - स्लाईस कर लें

2 बड़े च. मक्खन, 1 छोटा च. ऑरिगैनो

1 प्याज़ या 2 हरे प्याज़ - हरे भाग के साथ काट लें

2½ बड़े च. मैदा, 1¾ कप दूध

¾ छोटा च. नमक या स्वादानुसार

½ छोटा च. रेड चिली फ्लैक्स्

½ छोटा च. कुटी हुई लाल मिर्च

100 ग्राम पीज़ा चीज़ - कदुकस कर लें

¼ कप क्रीम

कुछ टमाटर स्लाईस और कटा हुआ पार्स्ले

विधि

❶ माईक्रोप्रूफ डिश में 1½ कप पानी और 1 छोटा च. तेल बिना ढके 3 मिनिट के लिए माईक्रोवेव करें।

❷ मैक्रोनी डालकर मिलायें। 5 मिनिट के लिए बिना ढके माईक्रोवेव करें। 4-5 मिनिट के लिए मैक्रोनी को गरम पानी में छोड़ दें। निकालें और अच्छे से ठण्डे पानी में धो लें।

❸ किसी दूसरी माईक्रोप्रूफ डिश में मक्खन को 30 सेकिण्ड के लिए माईक्रोवेव करें।

❹ ऑरिगैनो, हरा प्याज़, मशरुम और बेबी कॉर्न डालकर बिना ढके 5 मिनिट के लिए माईक्रोवेव करें।

❺ मैदा डालें। अच्छे से मिलायें और 30 सेकिण्ड के लिए माईक्रोवेव करें।

❻ दूध, नमक, काली मिर्च और चिली फ्लैक्स् डालें। अच्छे से मिलायें और बिना ढके 6 मिनिट के लिए माईक्रोवेव करें। बीच में एक बार चलायें, यदि सॉस गाढ़ी नहीं हुई हो तो 1-2 मिनिट के लिए और माईक्रोवेव करें।

❼ मैक्रानी, क्रीम और ½ कदुकस की हुई चीज़ डालें। अच्छे से मिलायें। टमाटर, धनिया और कदुकस की हुई चीज़ डालें।

❽ परोसते समय बिना ढके 2 मिनिट के लिए माईक्रोवेव करें। परोसें।

Chicken Stroganoff

Chicken combined with mushrooms in a creamy tomato - yogurt sauce.

Serves 4

INGREDIENTS

400 gm chicken - cut into ½" pieces

4 tbsp butter

1 small onion - chopped

150 gm mushrooms - cut into 2 halves

1½ tbsp maida (plain flour)

1 tbsp tomato puree, ½ tbsp ketchup

½ tsp Worcestershire sauce

3-4 flakes garlic - crushed

½ tsp salt, ¼ tsp pepper & chilli powder

¾ cup cream, 3 tbsp thick yogurt

1 capsicum - cut into ½" cubes

METHOD

❶ Sprinkle ½ tsp each of - salt, pepper and chilli powder over the chicken pieces. Mix well. Keep aside.

❷ Put 2 tbsp butter in a microproof dish and microwave for 40 seconds.

❸ Add onion and mushroom. Microwave for 3 minutes. Remove onion and mushroom from the dish.

❹ In the same dish add 2 tbsp butter and chicken pieces and microwave covered for 4 minutes.

❺ Add 1½ cups of water, 1 tbsp flour tomato puree, tomato ketchup, Worcestershire sauce, crushed garlic, salt, pepper and chilli powder. Microwave for 6 minutes or till slightly thick.

❻ Whip cream and yogurt well so that there are no lumps and it becomes smooth. Add cream-yogurt mixture. Mix well. Add capsicum. Microwave for 2 minutes and serve hot with steamed rice sprinkled with chopped parsley.

व्यक्तिः 4

सामग्री

400 ग्राम चिकन – ½" पीसों मे काट लें

4 बड़े च. मक्खन

1 छोटा प्याज़ – कटा हुआ

150 ग्राम मशरुम – 2 टुकड़ों में काट लें

1½ बड़ा च. मैदा

1 बड़ा च. टमॉटो प्यूरी, ½ बड़ा च. सॉस

½ छोटा च. वूस्टर शायर सॉस

3-4 कली लहसुन – दरदरी पीस लें

½ छोटा च. नमक, ¼ छोटा च. काली मिर्च और लाल मिर्च पाउडर

¾ कप क्रीम, 3 बड़े च. गाढ़ी दही

1 शिमला मिर्च – ½" टुकड़ों में काट लें

विधि

❶ ½ छोटा च. प्रत्येक का – नमक, काली मिर्च और लाल मिर्च पाउडर चिकन के ऊपर छिड़क दें। अच्छे से मिलायें। अलग रखें।

❷ 2 बड़े च. मक्खन माईक्रोप्रूफ डिश में रखकर 40 सेकिण्ड माईक्रोवेव करें।

❸ प्याज़ और मशरुम डालें। 3 मिनिट के लिए माईक्रोवेव करें। प्याज़ और मशरुम डिश से निकालें।

❹ इसी डिश में 2 बड़े च. मक्खन और चिकन के पीस डालें और 4 मिनिट के लिए ढ़क कर माईक्रोवेव करें।

❺ ½ कप पानी, 1 बड़ा च. मैदा, टमॉटो प्यूरी, टमॉटो सॉस, वूस्टर शायर सॉस, दरदरा पिसा लहसुन, नमक, काली मिर्च और लाल मिर्च पाउडर डालें। 6 मिनिट के लिए माईक्रोवेव करें या गाढ़ा होने तक रखें।

❻ क्रीम और दही को अच्छे से फेंट लें और ढेला न रहे। क्रीम और दही मिक्सचर डालें। अच्छे से मिलायें। शिमला मिर्च डालें और 2 मिनिट के लिए माईक्रोवेव करें। उबले चावल के साथ कटे हुए पार्स्ले छिड़क कर गरम परोसें।

Chicken Potato Pie

Chicken topped with mashed potatoes and baked till potatoes turn golden.

Serves 2-3

INGREDIENTS

250 gm boneless chicken pieces - cut into
½" pieces

4 tbsp butter

½ packet ready made vegetable soup

2 cups boiled and grated potatoes (4)

1 tsp salt, ½ tsp pepper

½ cup grated cheese (50 gm)

2 tbsp chopped parsley or coriander

¼ tsp peppercorns - crushed

METHOD

❶ Melt butter for 50 seconds in a microproof dish.

❷ Add the chicken pieces and microwave covered for 4 minutes. Add ¼ tsp salt and ¼ tsp pepper. Mix. Remove chicken from the microwave and keep aside.

❸ Dissolve ½ packet of soup in 1¼ cups of water in a bowl. Microwave for 6 minutes. Add ¼ tsp salt and ¼ tsp pepper or to taste.

❹ Place the chicken pieces in a greased glass baking dish and pour the soup.

❺ To the mashed potatoes add 3 tbsp butter, ¼ tsp salt and ¼ tsp pepper. Mix well. Lay the potato mixture over the chicken. Mark it with a fork.

❻ Sprinkle cheese, coiander & pepper.

❼ Set your microwave oven at 200°C using the oven (convection) mode to preheat.

❽ Put the pie inside the hot oven. Re-set the preheated oven again at 200°C for 20 minutes. Cook till potatoes turn golden from the top.

व्यक्तिः 2-3

सामग्री

250 ग्राम चिकन बिना हड्डी के – ½" पीसों मे काट लें

4 बड़े च. मक्खन

½ पैकेट रेडिमेड् वेजिटेबल सूप

2 कप उबले हुए आलू कद्दुकस कर लें (4)

1 छोटा च. नमक, ½ छोटा च. काली मिर्च

½ कप कद्दुकस किया हुआ चीज़ (50 ग्राम)

2 बड़े च. कटी हुई पार्स्ले या धनिया

¼ छोटा च. काली मिर्च – पिसी हुई

विधि

❶ मक्खन को 50 सेकिण्ड के लिए माईक्रोप्रूफ डिश में पिघलायें।

❷ चिकन के पीस डालें और 4 मिनिट के लिए ढ़क कर माईक्रोवेव करें। ¼ छोटा च. नमक और ¼ छोटा च. काली मिर्च डालकर मिलायें। माईक्रोवेव से चिकन निकाल कर अलग रखें।

❸ सूप का ½ पैकेट 1¼ कप पानी के साथ बाउल में घोल लें। 6 मिनिट के लिए माईक्रोवेव करें। ¼ छोटा च. नमक और ¼ छोटा च. काली मिर्च डालें या स्वादानुसार डालें।

❹ चिकन के पीस तेल से चिकनी की हुई ग्लॉस बेकिंग डिश में रखें और ऊपर सूप डाल दें।

❺ मैश किये हुए आलू में 3 बड़े च. मक्खन, ¼ छोटा च. नमक और ¼ छोटा च. काली मिर्च डालें। अच्छे से मिलायें। चिकन के ऊपर आलू का मिक्सचर फैला दें। काँटे से लाइनें बना दें।

❻ चीज़, धनिया और काली मिर्च छिड़क दें।

❼ माईक्रोवेव ऑवन कनवेक्शन मोड 200°C पर सैट करके गरम करें।

❽ गरम ऑवन में पाई रखें। दोबारा से ऑवन को 200°C पर 30 मिनिट के लिए सैट करें। आलू को ऊपर से सुनहरा ब्राउन होने तक बेक करें।

Chicken & Sweet Corn

Chicken deliciously combined with sweet corn kernels and baked to perfection.

Serves 4

INGREDIENTS

300 gm boneless chicken- cut into slices
3 tbsp butter, 1½ cups milk
½ cup sweet corn kernels (tinned)
2 spring onions - cut white part into rings and green into thin diagonal slices
1 potato - peeled & cut into ½" pieces
2 tbsp flour, ½ cup grated cheese
1 tsp salt, ½ tsp pepper

METHOD

1. Melt butter for 50 seconds in a microproof dish.
2. Add the chicken pieces and chopped potatoes. Microwave covered for 5 minutes or till cooked.
3. Add ¼ tsp salt and ¼ tsp pepper. Remove chicken and potatoes from the microproof dish and keep aside.
4. Melt butter for 50 seconds in the same dish.
5. Add white of spring onions and microwave for 2 minutes.
6. Add the tinned corn, flour and green spring onions. Mix well. Microwave for 40 seconds.
7. Add milk, salt and pepper. Microwave for 6 minutes or till slightly thickened. Stir once in between.
8. Mix chicken and potatoes. Sprinkle grated cheese.
9. Set your microwave oven at 180°C using the oven (convection) mode and press start to preheat oven.
10. Put the dish in the hot oven. Re-set the preheated oven again at 180°C for 15 minutes. Bake till golden brown. Serve hot.

व्यक्ति: 4

सामग्री

300 ग्राम बिना हड्डी का चिकन - स्लाईसों मे काट लें
3 बड़े च. मक्खन, 1½ कप दूध
½ कप भुट्टे के दाने (टिन वाले)
2 हरे प्याज़ - सफदे भाग को गोल छल्लों में और हरे भाग को तिरछे स्लाईस में काटें
1 आलू - छीलें और ½" टुकड़ों में काट लें
2 बड़े च. मैदा, ½ कप कदुकस की हुई चीज़
1 छोटा च. नमक, ¼ छोटा च. काली मिर्च

विधि

1. मक्खन को माईक्रोप्रूफ डिश में रखकर 50 सेकिण्ड के लिए पिघला लें।
2. चिकन और आलू के पीस डालें ओर ढ़क कर 5 मिनिट के लिए माईक्रोवेव करके पका लें।
3. ¼ छोटा च. नमक और ¼ छोटा च. काली मिर्च डालें। माईक्रोप्रूफ डिश से निकालें और अलग रखें।
4. इसी डिश में 50 सेकिण्ड के लिए मक्खन गरम करें।
5. हरे प्याज़ का सफेद भाग और आलू 2 मिनिट के लिए माईक्रोवेव करें।
6. टिन्ड् कॉर्न, मैदा और हरा प्याज़ डालें। अच्छे से मिलायें। 40 सेकिण्ड के लिए माईक्रोवेव करें।
7. दूध, नमक और काली मिर्च डालें। 6 मिनिट के लिए या गाढ़ा होने तक माईक्रोवेव करें। बीच में एक बार चलायें।
8. चिकन और आलू मिलायें और कदुकस किया हुआ चीज़ छिड़कें।
9. माईक्रोवेव ॲवन को 180°C कॉनवेकशन मोड पर गरम करें।
10. डिश को गरम ॲवन में रखें। दोबारा से ॲवन को 180°C तापमान पर 15 मिनिट के लिए गरम करें। सुनहरा ब्राउन होने तक बेक करें। गरम परोसें।

Hungarian Paneer

Cottage cheese slices layerd with vegetables, topped with a creamy tomato sauce flavoured with oregano.

Serves 8

INGREDIENTS

700-800 gm paneer - cut into a long, thick slab (7" long and 2" thick, approx.)

FILLING (MIX TOGETHER)

¾ cup grated carrot

50 gm pizza cheese + 50 gm cheddar cheese - grated (1 cup)

¼ tsp salt and ¼ tsp freshly ground pepper

½ tsp oregano, or to taste

HUNGARIAN SAUCE

5 tomatoes , 6 tbsp ready made tomato puree

2 tbsp oil, 1 tsp crushed garlic

4 tbsp cream, 1 tsp oregano

½ tsp salt and ¼ tsp pepper, or to taste

METHOD

1. For sauce, prick tomatoes with a fork. Put on a microproof plate and microwave for 3 minutes. Remove peel. Blend to a puree after they cool down.
2. Put oil, garlic, 6 tbsp readymade puree, prepared puree, oregano, salt & pepper in a microproof bowl. Mix & microwave for 7 minutes.
3. Mix cream. Keep the sauce aside.
4. Cut paneer into 3 pieces lengthwise, of equal thickness. Sprinkle salt & pepper on both sides of each slice of paneer.
5. In a shallow rectangular serving dish, put ¼ of the prepared sauce.
6. Place a paneer slab on the sauce.
7. Spread ½ of the filling on it.
8. Press another piece of paneer on it.
9. Again put the filling on it. Cover with the last piece of paneer. Press. Pour sauce all over to cover top and sides completely. Grate cheese on top. Sprinkle some oregano or pepper. To serve, microwave for 3 minutes.

व्यक्ति: 8

सामग्री

700-800 ग्राम पनीर - एक लम्बे मोटे टुकड़े में कटा हुआ (7" लम्बा और 2" मोटा)

भरावन (एक साथ मिलायें)

¾ कप कदुकस करी हुई गाजर

50 ग्राम पीज़ा चीज़ + 50 चैडर चीज़ - कदुकस करें (1 कप)

¼ छोटा च. नमक, ¼ छोटा च. ताज़ी पिसी काली मिर्च, ½ छोटा च. ऑरिगैनो

हंगेरियन सॉस

5 टमाटर, 6 बड़े च. रेडिमेड् टमॉटो प्यूरी

2 बड़े च. तेल, 1 छोटा च. लहसुन पेस्ट

4 बड़े च. क्रीम, 1 छोटा च. ऑरिगैनो

½ छोटा च. नमक और ¼ छोटा च. काली मिर्च या स्वादानुसार

विधि

1. टमाटर को थोड़ा गोद लें। माईक्रोप्रूफ प्लेट में रखें और 3 मिनिट माईक्रोवेव करें। निकालें और छीलें। ठण्डा होने पर प्यूरी बना लें।
2. तेल, लहसुन, 6 बड़े च. रेंडिमेड् प्यूरी, ताज़ी टमाटर की प्यूरी, ऑरिगैनो, नमक और काली मिर्च माईक्रोप्रूफ बाउल में डालकर मिलायें। 7 मिनिट के लिए माईक्रोवेव करें।
3. क्रीम मिलायें। सॉस को अलग रखें।
4. पनीर को 3 लम्बे, बराबर के मोटे पीसों में काट लें। पनीर के प्रत्येक स्लाईस के दोनों तरफ नमक और काली मिर्च छिड़क दें।
5. चौकोर सर्विंग डिश में ¼ तैयार सॉस रखें।
6. सॉस पर पनीर का एक स्लैब रखें।
7. इस पर ½ भरावन फैला दें।
8. दूसरा पनीर का पीस इस पर दबाएँ।
9. दोबारा से भरावन रखें। पनीर के आखिरी पीस से ढ़क दें। दबाएँ। सॉस डालकर पनीर की साईडों को पूरी तरह से ढ़क दें। ऊपर थोड़ी चीज़ कदुकस करें। थोड़ा सा ऑरिगैना या काली मिर्च छिड़क दें। परोसते समय 3 मिनिट के लिए माईक्रोवेव करें।

Bean Casserole

Red kidney beans and cauliflower baked in a creamy cheese sauce.

Serves 6

INGREDIENTS

1¼ cups boiled rajmah (red kidney beans)

1 onion - chopped

4 cups finely chopped cauliflower

3 tomatoes

2½ tbsp tomato ketchup

1 tsp Worcestershire sauce

1½ cups (150 gm) grated cheese

½ cup cream

2 tbsp oil

salt and pepper to taste

METHOD

❶ Put the tomatoes on a microproof plate and microwave for 3 minutes. Remove peel after they cool. Chop finely.

❷ Keep onions, cauliflower and 2 tbsp oil in a microproof dish. Mix well and microwave for 6 minutes.

❸ Add 1 tsp salt and ½ tsp pepper. Add tomatoes, boiled rajmah, ketchup and worcestershire sauce. Mix well. Check salt and pepper.

❹ Add half of the grated cheese.

❺ Mix the other half of the cheese with cream. Add ¼ tsp salt and ¼ tsp pepper. Pour cream over the vegetables and spread gently.

❻ Set microwave oven at 180°C using the oven (convection) mode and press start to preheat oven. Put the vegetables inside the hot oven and re-set the preheated oven again at 180°C for 25 minutes. Bake till golden brown. Serve hot.

व्यक्तिः 6

सामग्री

1¼ कप उबले हुए राजमॉ

1 प्याज़ - कटी हुई

4 कप बारीक कटी हुई फूलगोभी

3 टमाटर

2½ बड़े च. टमॉटो सॉस

1 छोटा च. वूस्टर शायर सॉस

1½ कप कदुकस की हुई चीज़

½ कप क्रीम

2 बड़े च. तेल

नमक और काली मिर्च स्वादानुसार

विधि

❶ टमाटर को माईक्रोप्रूफ प्लेट में रखकर 3 मिनिट के लिए माईक्रोवेव करें। ठण्डा होने पर छिलका उतार दें। बारीक काट लें।

❷ प्याज़, फूलगोभी और 2 बड़े च. तेल माईक्रोप्रूफ डिश में रखें। अच्छे से मिलायें और 6 मिनिट के लिए माईक्रोवेव करें।

❸ 1 छोटा च. नमक और ½ छोटा च. काली मिर्च डालें। टमाटर, उबला हुआ राजमॉ, सॉस और वूस्टर शायर सॉस डालें। अच्छे से मिलायें। नमक और काली मिर्च चख लें।

❹ आधी कदुकस की हुई चीज़ डालें।

❺ बची हुई आधी चीज़ को क्रीम के साथ मिला लें। ¼ छोटा च. नमक और ¼ छोटा च. काली मिर्च डालें। क्रीम को सब्जियों के ऊपर डालकर फैला दें।

❻ माईक्रोवेव अॅवन को 180°C कॉनवेकशन मोड पर सैट करें और बटन दबाकर गरम करें। गरम अॅवन में सब्जियाँ रख कर दोबारा से अॅवन को 180°C तापमान पर 25 मिनिट के लिए सैट करें। सुनहरा ब्राउन होने तक बेक करें। गरम परोसें।

Rice-Vegetable Ring

Saucy vegetables surrounded by a ring of rice mixed with green herbs.

Serves 5-6

INGREDIENTS

RICE (MIX TOGETHER)

2 cups cooked rice

¼ cup chopped parsley or coriander

salt and lemon juice to taste

OTHER INGREDIENTS

2 tbsp butter

100 gm baby corns - sliced

2 cups finely chopped spinach

2½ tbsp flour (maida), 2 cups milk

¾ tsp salt, 1 tsp pepper, 1½ tsp oregano

1½ cup grated mozzarella cheese

2 tbsp bread crumbs

some tomato slices & black olives

METHOD

❶ Melt butter in a microproof dish for 40 seconds.

❷ Add oregano, spinach & baby corns Microwave uncovered for 5 minutes.

❸ Add flour. Mix well and microwave uncovered for 1 minute.

❹ Add milk, salt, 2 tbsp cheese & pepper. Mix. Microwave uncovered for 5 minutes. Keep vegetables aside.

❺ Spread parsley rice in a greased dish. Push rice toward the edges of the dish to get a rice border. Sprinkle ½ cup cheese on it. Leaving aside the border of rice put the vegetables in the center portion of the dish, such that the rice border forms a ring around the vegetables. Sprinkle bread crumbs. Arrange tomato slices and sprinkle the left over grated cheese. Sprinkle olives. Dot with butter. To serve, microwave for 4 minutes.

व्यक्तिः 5-6

सामग्री

चावल (एक साथ मिलायें)

2 कप पके हुए चावल

¼ कप कटी हुई पार्स्ले या धनिया

नमक और नींबू का रस स्वादानुसार

अन्य सामग्री

2 बड़े च. मक्खन

100 ग्राम बेबी कॉर्न - स्लाईस कर लें

2 कप बारीक कटा हुआ पालक

2½ बड़े च. मैदा, 2 कप दूध

¾ छोटा च. नमक, 1 छोटा च. काली मिर्च

1½ छोटा च. ऑरिगेनो

1½ कप कदुकस किया हुआ पीज़ा चीज़

2 बड़े च. ब्रेड-क्रम्ब्स

थोड़े टमॉटो स्लाईस और ब्लैक ऑलीव

विधि

❶ मक्खन को माईक्रोप्रूफ डिश में 40 सेकिण्ड के लिए पिघला लें।

❷ ऑरिगैनो, पालक ओर बेबी कॉर्न डालकर बिना ढ़के 5 मिनिट के लिए माईक्रोवेव करें।

❸ मैदा डालें। अच्छे से मिलायें और बिना ढ़के 1 मिनिट के लिए माईक्रोवेव करें।

❹ दूध, नमक, 2 बड़े च. चीज़ और काली मिर्च डालें। अच्छे से मिलायें। बिना ढ़के 5 मिनिट के लिए माईक्रोवेव करें। सब्ज़ियों को अलग रखें।

❺ तेल लगाकर चिकनी की हुई डिश पर पार्स्ले राईस फैला दें। चावल को डिश के किनारों पर करके एक रिंग बना लें। ½ कप चीज़ छिड़क दें। चावल के बॉर्डर को छोड़ते हुए, डिश के बीच में सब्ज़ियों को फैला दें, जिससे चावल अच्छे से दिखाई दें। सब्ज़ियों पर ब्रेड-क्रम्ब्स छिड़क दें। टमॉटो स्लाईस रखें और बची हुई कदुकस की हुई चीज़ को छिड़क दें। ऑलीव छिड़कें। मक्खन के छोटे दाने इधर-उधर रखें। परोसते समय 4 मिनिट के लिए माईक्रोवेव करें।

Gajar ka Halwa

Carrot pudding made in very little fat and in a jiffy too.

Serves 5-6

INGREDIENTS

½ kg carrots - grated
1½ cups milk
½ - ¾ cup sugar - powdered
½ cup (100 gms) khoya - grated
2-3 tbsp desi ghee
some chopped nuts like almonds, raisins (kishmish) etc.

METHOD

1. Mix grated carrots and milk in a big deep bowl.
2. Microwave uncovered for 15 minutes. Mix once after 5 minutes.
3. Add sugar and khoya. Mix well.
4. Microwave for 10 minutes uncovered.
5. Add ghee. Mix well. Microwave for 7 minutes. Mix chopped nuts. Serve hot or cold decorated with nuts.

व्यक्तिः 5-6

सामग्री

½ किलो गाजर - कदुकस कर लें
1½ कप दूध
½-¾ कप चीनी - पिसी हुई
½ कप (100 ग्राम) खोया - कदुकस किया हुआ
2-3 बड़े च. देसी घी
थोड़ा सा कटा हुआ मैवा जैसे बादाम, किशमिश इत्यादि

विधि

1. कदुकस की हुई गाजर और दूध को एक बड़े गहरे बाउल में मिलायें।
2. बिना ढ़के 15 मिनिट के लिए माईक्रोवेव करें। बीच में एक बार चलायें।
3. चीनी और खोया डालकर अच्छे से मिलायें।
4. बिना ढ़के 10 मिनिट के लिए माईक्रोवेव करें।
5. घी डालें। अच्छे से मिलायें। 7 मिनिट के लिए माईक्रोवेव करें। कटे हुए मैवे बादाम और किशमिश मिलायें। मैवे से सजाकर ठण्डा या गरम परोसें।

Phirni

Rice pudding flavoured with green cardamoms and topped with nuts.

Serves 4

INGREDIENTS

3½ cups milk

¼ cup rice - soaked for 2-3 hours & ground to a fine paste

¼ cup powdered sugar, or to taste

1 tsp kewra or rose water - (optional) or a drop of kewra essence

seeds of 2-3 chhoti illaichi (green cardamom) - powdered

varak (silver leaf)

5-6 green pistas - sliced thinly

2 almonds - sliced into thin long pieces

METHOD

❶ Soak rice in a little water for 2-3 hours. Grind in the mixer with a little water to a very fine paste.

❷ In a dish mix ground rice and milk.

❸ Microwave uncovered 6 minutes. Stir with a wire whisk, after every minute otherwise lumps will form. Break lumps if any.

❹ Add sugar. Mix well. Microwave uncovered for 3 minutes, stirring in-between.

❺ Mix well. Cool. Add rose/kewra water and illaichi powder. Pour in individual bowls.

❻ Decorate with varak, nuts and illaichi powder. Serve chilled after 2-3 hours.

व्यक्तिः 4

सामग्री

3½ कप दूध

¼ कप चावल – 2-3 घण्टे के लिए भिगोएँ और पीसकर बारीक पेस्ट बना लें

¼ कप पिसी हुई चीनी या स्वादानुसार

1 छोटा च. केवड़ा या गुलाब जल – या एक बून्द केवड़ा एसेंस

2-3 छोटी इलायची के बीज – पीस लें

चाँदी का वर्क

5-6 हरे पिस्ते – पतले स्लाईस कर लें

2 बादाम – पतले लम्बे टुकड़ों में काट लें

विधि

❶ चावल को थोड़े से पानी में 2-3 घण्टे के लिए भिगोएँ। मिक्सी में थोड़ा पानी डालकर बारीक पीस कर पेस्ट बना लें।

❷ डिश में पिसे हुए चावल और दूध डालें।

❸ बिना ढके 6 मिनिट के लिए माईक्रोवेव करें। हर मिनिट में चलायें नहीं तो ढेले बना जायेंगे।

❹ चीनी डालकर अच्छे से मिलायें। बिना ढके 3 मिनिट के लिए माईक्रोवेव करें। बीच में चलायें।

❺ अच्छे से मिलायें। ठण्डा करें। गुलाब/केवड़ा पानी और इलायची पाउडर डालें। छोटी-छोटी कटोरियों में डालें।

❻ चाँदी के वर्क, मैवे और इलायची पाउडर से सजायें। 2 घण्टे के बाद ठण्डा परोसें।

Baked Cheese Cake

Cottage cheese, almond powder and eggs - all combine to present this delicious dessert.

Serves 6

INGREDIENTS

½ kg paneer (cottage cheese) - grated
1 cup milk, 4 eggs - separated
150 gm powdered sugar (1½ cups)
2 tsp vanilla essence
¼ cup almonds - ground to a powder

TO DECORATE

any fresh fruit - cut into thin slices

METHOD

1. Preheat oven to 190°C. Grease a 7" loose bottomed cake tin with oil and dust with 1 tbsp flour.
2. Grate paneer. Blend paneer with 1 cup milk in a mixer-grinder till very smooth. Add egg yolks to the paneer in the blender, keeping the white of the eggs aside. Churn to blend well.
3. Remove from blender to a big bowl. Add sugar and beat well with an electric hand egg beater till smooth.
4. Add vanilla essence, ground almonds. Mix well with a beater.
5. In a clean dry bowl, beat egg whites till stiff peaks form. Gently fold in the stiff egg whites into the paneer.
6. Transfer the mixture to the prepared tin and bake in the pre-heated oven for 55-60 minutes until firm and golden. Check with a toothpick.
7. When done, switch off the oven heat and leave cheesecake inside the oven to cool completely, with the door open. Chill in the refrigerator.
8. To serve, remove cheesecake from tin. Top with thin slices of any seasonal fruit. Serve with thin sweetened cream flavoured with vanilla essence.

व्यक्तिः 6

सामग्री

½ किलो पनीर - कदुकर कर लें
1 कप दूध, 4 अण्डे - सफेदी और जर्दी अलग कर लें
150 ग्राम पिसी हुई चीनी (1½ कप)
2 छोटे च. वनीला एसेंस
¼ कप बादाम - पीसकर पाउडर बना लें

<u>सजाने के लिए</u>

कोई भी ताज़ा फल - पतले स्लाईस कर लें

विधि

1. ऑवन को 190°C के तापमान पर गरम करें। 7" व्यास वाला लूज़ बॉटम केक टिन को तेल से चिकना करें और 1 बड़ा च. मैदा छिड़कें।
2. पनीर कदुकस कर लें। पनीर को 1 कप दूध के साथ मिक्सी में अच्छे से पीस लें। अण्डे की जर्दी भी मिक्सी में पड़े पनीर में डालकर अच्छे से चलायें। सफेद भाग को अलग रख दें।
3. मिक्सी से निकाल कर एक बड़ी बाउल में रखें। चीनी डालें और इलैक्ट्रिक हैंड बीटर से अच्छी तरह फेंट लें।
4. वनीला एसेंस पिसे हुए बादाम डालें। हैंड बीटर से अच्छी तरह फेंट लें।
5. सूखे साफ बाउल में ऐग वाईट को नोक उठने तक फेंट लें। इसे पनीर में धीरे से मिलायें।
6. मिक्सचर को तैयार किये हुए केक टिन में डालें और 55-60 मिनिट के लिए सुनहरा होने तक बेक करें। टूथपिक से चैक करें।
7. जब तैयार हो जाए, तो ऑवन बन्द कर दें और ऑवन का दरवाज़ा खोलकर चीज़ केक को पूरी तरह ऑवन के अन्दर ही ठण्डा होने दें। ऑवन से निकाल कर रेफ्रिजरेटर में ठण्डा करें।
8. परोसते समय, चीज़ केक को टिन से निकालें। ऊपर किसी भी फल के पतले स्लाईस रखकर सजा दें। पतली मीठी क्रीम में वनीला एसेंस मिलाकर, चीज़ केक के साथ परोसें।

Lychee Pearls in Shahi Kheer

Lychees are covered with silver leaf to make them look like pearls. See page 141 for picture

Serves 4-5

INGREDIENTS

10 fresh or canned lychees

10 almonds - blanched

3-4 sheets of varak (silver sheets)

SHAHI KHEER

3 cups milk (½ kg), 1 cup boiled rice

¼ tin condensed milk

1 cup grated paneer

10 almonds - cut into thin long piece

1 tbsp kishmish

1-2 drops kewra essence

seeds of 2 chhoti illaichi (green cardamoms) - powdered

DECORATION

¼ tsp kesar (saffron) - soaked in 1 tsp warm water, a few rose petals

METHOD

❶ Microwave 3 cups milk and boiled rice in a big deep bowl for 8 minutes or till it boils.

❷ Reduce power to 60% and microwave for 20 minutes, stirring once in between. Remove from microwave. Mash rice well.

❸ Add all other ingredients of the shahi kheer. Transfer to a shallow serving dish. Keep to chill in the fridge.

❹ Remove seeds of lychees carefully. Insert an almond in each.

❺ Place 3-4 lychees on a varak at intervals. Pick up the varak along with the lychees carefully such as to coat 3-4 lychees with one sheet of varak. Keep in the fridge.

❻ At serving time, arrange the pearl lychees on the kheer. Dot with some kesar and sprinkle 1-2 rose petals.

व्यक्तिः 4-5

सामग्री

10 ताज़ा या टिन्ड लिची

10 बादाम - पानी में भिगोकर छिलका उतारें

3-4 चाँदी के वर्क

शाही खीर

3 कप दूध (½ किलो), 1 कप उबले हुए चावल

¼ टिन कन्डैन्स्ड मिल्क

1 कप कद्दुकस किया हुआ पनीर

10 बादाम - पतले लम्बे पीसों में काट लें

1 बड़ा च. किशमिश

1-2 बून्द केवड़ा एसेंस

2 छोटी इलायची के बीज - पीस लें

सजाने के लिए

¼ छोटा च. केसर - 1 छोटे च. गरम पानी में भिगो दें

कुछ गुलाब के पत्ते

विधि

❶ एक बड़े गहरे बाउल में 3 कप दूध और उबले हुए चावल मिलाकर 8 मिनिट के लिए माईक्रोवेव करें।

❷ खीर को 20 मिनिट के लिए 60% पॉवर पर माईक्रोवेव करें और बीच में एक बार चलायें। माईक्रोवेव से निकालें। चावल को अच्छे से मैश कर लें।

❸ शाही खीर की अन्य सामग्री डालें। सर्विंग डिश में रखें। फ्रीज में रखकर ठण्डा करें।

❹ लिची का बीज ध्यानपूर्वक निकाल दें और अन्दर 1 बादाम रख दें।

❺ 3-4 लिची को वर्क पर थोड़ी दूरी पर रखें। वर्क को ध्यानपूर्वक उठाकर, एक ही वर्क को 3-4 लिची पर एक साथ लगायें। परोसने के समय तक पर्ल लिची को फ्रीज में रखें।

❻ परोसने के समय लिची को खीर में रखें। कुछ केसर छिड़क दें और 1-2 गुलाब के पत्ते रखकर सजायें।

Vanilla Cake

A quick microwaved vanilla cake which can be had plain, or used for preparing any cake dessert.

Serves 4-5

INGREDIENTS

2 large eggs

½ cup powdered sugar (sugar has to be powdered, otherwise it burns)

½ cup maida

1 tsp baking powder

¼ cup milk, ½ cup oil

1 tsp vanilla essence

METHOD

❶ Sift flour with baking powder. Keep aside.

❷ Beat eggs and sugar till the eggs turn fluffy and the mixture becomes more than double in volume. Add essence.

❸ Add oil to beaten egg-sugar mixture in the bowl. Mix well.

❹ Fold in flour gradually till all the flour is used. Add milk to get a slightly thinner than a soft dropping consistency.

❺ Grease a deep bowl. Pour the batter in it. Microwave uncovered for 4 minutes. Do not microwave for a longer time even if the surface of the cake does not feel firm and it appears wet after 4 minutes. Let it stand for 4-5 minutes. Let it cool 5-10 minutes before removing from baking dish.

व्यक्तिः 4-5

सामग्री

2 बड़े अण्डे

½ कप पिसी हुई चीनी (चीनी पिसी हुई होनी चाहिए वरना वह जल जाती है)

½ कप मैदा

1 छोटा च. बेकिंग पाउडर

¼ कप दूध, ½ कप तेल

1 छोटा च. वनीला एसेंस

विधि

❶ मैदा और बेकिंग पाउडर छान लें। अलग रखें।

❷ अण्डा और चीनी को अच्छे से फूल जाने तक फेंटे। फेंटने पर मिक्सचर डबल से कुछ ज्यादा फूल जाना चाहिए। एसेंस डालें।

❸ अण्डा-चीनी के मिक्सचर में धीरे-धीरे तेल मिलायें। अच्छे से मिला लें।

❹ अब मैदा को थोड़ा-थोड़ा करके केक मिक्सचर में मिला लें। दूध डालकर घोल को थोड़ा सा पतला कर लें।

❺ गहरी बाउल में तेल लगा कर चिकना करें। घोल को इसमें डालें। बिना ढके 4 मिनिट के लिए माईक्रोवेव करें। ज्यादा समय के लिए माईक्रोवेव न करें। यदि केक की सतह 4 मिनिट के बाद भी गीली हो तो 4-5 मिनिट के लिए रखें। 5-10 मिनिट बाद बेकिंग डिश से निकालें।

Chocolate Cake

To convert a vanilla cake into a chocolate cake, add 2 tbsp cocoa powder and 2 extra tbsp powdered sugar to the recipe of vanilla cake given above. After the cake is ready, pour some chocolate sauce on it and serve.

वनीला केक को चॉकलेट केक में बदलने के लिए, 2 बड़े च. कोको पाउडर और 2 बड़े च. ज्यादा चीनी डालकर ऊपर दी गई विधि अनुसार केक का घोल तैयार करें। केक तैयार होने के बाद केक पर चॉकलेट सॉस डालकर परोसें।

Coconut Pudding

Coconut cake batter spread over sweetened apple and baked.

Serves 8

INGREDIENTS

½ kg apples - peeled, cut into ½" pieces

¼ cup plus ½ cup powdered sugar

½ cup butter - softened

1 cup flour maida (plain flour)

1 tsp baking powder

½ cup desiccated coconut powder

2 tbsp raisins, 2 eggs

1 tsp vanilla essence, ½ cup milk

TOPPING

1 tbsp melted butter, 2 tbsp brown sugar

METHOD

❶ Mix apples with ¼ cup sugar and 1 tbsp butter in a microproof dish. Microwave for 4 minutes. Check sugar and add to taste. Keep aside.

❷ Sift flour & baking powder. Add coconut powder and raisins.

❸ Separate egg whites in a dry bowl. Beat till stiff peaks form. Keep aside.

❹ In a big mixing bowl, beat butter and ½ cup powdered sugar until light and fluffy.

❺ Add egg yolks and essence. Mix well.

❻ Add flour mix and milk into the butter mixture. Beat well to get a soft dropping consistency.

❼ Gently fold the beaten egg whites with a spoon into the pudding mixture. Spread over the fruit. Sprinkle brown sugar and some melted butter.

❽ Bake in a pre-heated oven on convec mode at 180°C for 30 minutes or until firm to touch. Remove from oven. Serve pudding with hot or cold custard or cream.

व्यक्ति: 8

सामग्री

½ किलो सेब – छीलें, ½" पीसों में काट लें

¼ कप + ½ कप पिसी चीनी

½ कप मक्खन

1 कप मैदा

1 छोटा च. बेकिंग पाउडर

½ कप नारियल का बूरा

2 बड़े च. किशमिश, 2 अण्डे

1 छोटा च. वनीला एसेंस, ½ कप दूध

टॉपिंग

1 बड़ा च. पिघला हुआ मक्खन

2 बड़े च. ब्राउन शुगर

विधि

❶ ¼ कप चीनी और 1 बड़ा च. मक्खन सेब के साथ मिलाकर माईक्रोप्रूफ डिश में रखें। 4 मिनिट के लिए माईक्रोवेव करें। चीनी स्वादानुसार रखें। अलग रख दें।

❷ मैदा और बेकिंग पाउडर छानें। नारियल का पाउडर और किशमिश मिलायें।

❸ अलग सूखी बाउल में ऐग वाईट रखें। नोक बनने तक फेंटें। अलग रखें।

❹ बड़े मिक्सिंग बाउल में मक्खन और ½ कप पिसी चीनी डालकर अच्छे से फेंट लें।

❺ अण्डे की जर्दी और एसेंस डालें। अच्छे से मिलायें।

❻ मैदा और दूध को मक्खन के मिक्सचर में डालें। एकरुपता में अच्छे से फेंट लें।

❼ फेंटे हुए ऐग वाईट को चम्मच से धीरे से पुडिंग मिक्सचर में मिलायें। इसे सेब के ऊपर फैला दें। ब्राउन शुगर और थोड़ा सा पिघला हुआ मक्खन छिड़क दें।

❽ गरम ऑवन में कॉनवेक मोड पर 180°C और 30 मिनिट के लिए बेक करें या पूरी तरह से पकने तक रखें। ऑवन से निकालें। पुडिंग को गरम या ठण्डा कस्टर्ड या क्रीम के साथ परोसें।

Creme Caramel

The addition of a little custard powder in the mixture makes a world of difference to the caramel custard.

Serves 6

INGREDIENTS

2½ cups milk, 8 tsp sugar

3 tbsp milk powder

1 tsp vanilla custard powder

3 eggs, 1 tsp vanilla essence

3 tbsp sugar - to caramelize

METHOD

❶ Mix milk with sugar, milk powder and custard powder till smooth in a deep microproof bowl and microwave for 10 minutes, stirring once or twice inbwetween after 5 minutes. Let it cool.

❷ Beat eggs and essence well with an egg beater till light and fluffy and add to the cooled milk. Keep aside.

❸ Melt 3 tbsp sugar in a kadhai on low heat till golden. Pour in 6 small individual heat proof glass or metal bowls. Let the sugar set for 5 minutes.

❹ Pour the milk-egg mixture in the moulds. Cover with aluminium foil.

❺ Preheat the oven at 200°C using the oven (convec) mode. Bake pudding in the pre-heated oven on convec mode at 200°C for 20-25 minutes until firm and golden. Keep in the fridge so that it gets cold and sets. Do not unmould till it turns cold.

❻ To serve, run a knife all around the mould and invert it on a plate. Give a slight jerk to the mould to take out.

❼ Decorate the pudding with whipped cream and fresh fruits.

व्यक्तिः 6

सामग्री

2½ कप दूध, 8 छोटे च. चीनी

3 बड़े च. मिल्क पाउडर

1 छोटा च. वनीला कस्टर्ड पाउडर

3 अण्डे, 1 छोटा च. वनीला एसेंस

3 बड़े च. चीनी – कैरेमलाईज़ करने के लिए

विधि

❶ दूध के साथ चीनी, मिल्क पाउडर और कस्टर्ड पाउडर गहरी माईक्रोप्रूफ बाउल में डालकर मिलायें और 10 मिनिट के लिए माईक्रोवेव करें। 5 मिनिट के बाद बीच में एक या दो बार चलायें। ठण्डा होने दें।

❷ अण्डे और एसेंस ऐग बिटर से अच्छे से फेंट लें और ठण्डे दूध में डालें। अलग रखें।

❸ 3 बड़े च. चीनी भारी कढ़ाई में धीमी आँच पर पिघला कर सुनहरी करें। 6 छोटी कटोरियों में डालें। चीनी 5 मिनिट ठण्डी होकर जमने दें।

❹ दूध-अण्डे का मिक्सचर साँचे में डालें। ऐल्यूमिनियम फॉईल से ढकें।

❺ ऑवन को कॉनवेक मोड 200°C पर गरम करें। पुडिंग को कॉनवेक मोड पर 200°C पर 20-25 मिनिट के लिए पूरी तरह से बेक करें और सुनहरी होने दें। फ्रीज में ठण्डी और जमने तक रखें। जब तक ठण्डी न हो जाए साँचे से न पलटें।

❻ परोसने के लिए तेज़ धार वाले चाकू को साँचे के किनारों में घुमा कर, पुडिंग को पलट कर प्लेट पर निकालें। निकालते समय थोड़ा सा झटका दें।

❼ पुडिंग को फैंटी हुई क्रीम और फल के साथ सजाकर परोसें।

Eggless Cake with Mocha icing

A quick microwaved chocolate cake topped with chocolate icing flavoured with coffee.

Serves 6

INGREDIENTS

½ tin condensed milk (milk-maid)

½ cup milk, ½ cup (75 gm) butter

1½ tbsp powdered sugar

100 gms (1 cup) maida (plain flour)

¼ cup cocoa, ¾ tsp level soda-bicarb

¾ tsp level baking powder

1 tsp vanilla essence

MOCHA GLAZE ICING

4 tbsp cocoa powder, 2 tbsp butter - softened

1 tsp coffee

1 cup icing sugar - sifted

2-3 tbsp chopped walnuts (akhrot)

TO SOAK - ¼ cup coke or any other cola

METHOD

❶ Sift maida with cocoa, soda-bicarb and baking powder. Keep aside.

❷ Mix sugar and butter. Beat till very fluffy. Add milk-maid. Beat well.

❸ Add milk and essence. Add maida. Beat well for 3-4 minutes till the mixture is smooth and light. Transfer to a big, greased deep dish of 9" diameter.

❹ Microwave for 5 minutes. Let it cool.

❺ Cut cake into 2 & soak with cola drink.

❻ For the icing, microwave 4 tbsp water in a bowl for 1 minute. Add coffee and mix. Add cocoa and butter to it and mix well. Return to microwave and microwave at 70% power for 1 minute or till butter melts. Gradually add the sifted icing sugar. Mix well.

❼ Glaze the cake with the icing, making peaks with the spoon. Decorate it with walnuts.

❽ Refrigerate until glaze is set. Serve with ice cream.

व्यक्तिः 6

सामग्री

½ टिन कंडेंस्ड मिल्क (मिल्क-मेड)

½ कप दूध

½ कप (75 ग्राम) मक्खन

1½ बड़े च. पिसी हुई चीनी

100 ग्राम (1 कप) मैदा

¼ कप कोको, ¾ छोटा च. मीठा सोडा

¾ छोटा च. बेकिंग पाउडर

1 छोटा च. वनीला एर्सेंस

मौका ग्लेज़ आईसिंग

4 बड़े च. कोको पाउडर, 2 बड़े च. मक्खन

1 छोटा च. कॉफी, 1 कप आईसिंग शुगर

2-3 बड़े च. कटे हुए अखरोट

¼ कप कोका कोला – सोखने के लिए

विधि

❶ मैदा के साथ कोको, मीठा सोडा और बेकिंग पाउडर छान लें। अलग रखें।

❷ चीनी और मक्खन मिलाकर अच्छे से फेंट लें। मिल्क-मेड डालकर और फेंट लें।

❸ दूध और एसेंस डालें। मैदा डालकर 3-4 मिनिट के लिए या मिक्सचर थोड़ा सा नरम और हल्का होने तक फेंट लें। 8" व्यास की बड़ी और गहरी माईक्रोप्रूफ डिश को चिकना करके उसमें केक मिक्सचर डालें।

❹ 5 मिनिट के लिए माईक्रोवेव करें। ठण्डा करें।

❺ केक को 2 भाग में काटकर, कोला छिड़क दें।

❻ आईसिंग के लिए 4 बड़े च. पानी एक बाउल में 1 मिनिट के लिए माईक्रोवेव करें। इसमें कॉफी डालकर मिलायें। कोको और मक्खन भी मिलायें। दोबारा से माईक्रोवेव में 70% पॉवर पर 1 मिनिट के लिए या मक्खन पिघलने तक माईक्रोवेव करें। थोड़ी-थोड़ी करके छनी हुई आईसिंग शुगर मिलायें।

❼ केक को आईसिंग के साथ ग्लेस करें। अखरोट से सजायें।

❽ ग्लेज़ जमने तक रेफ्रिजरेटर में रखें। आईसक्रीम के साथ परोसें।

Pina Orange Dome

No cream! Pineapple and orange flavoured cheese icing makes this dessert quite low in calories.

Serves 12

INGREDIENTS

1 vanilla cake of 2 eggs, page 151

1 cup orange juice - to soak cake

5 cups chopped fresh ripe pineapple

8 tbsp powdered sugar

1 cup finely grated paneer (100 gm)

3 cups curd - hang for 30 minutes

1 orange and 5-6 almonds - to decorate

METHOD

1. To prepare vanilla cake, follow the recipe given for vanilla cake on page 151. Put cake batter in a dome shaped glass bowl. Microwave for 4 minutes. Let it cool.

2. Cut cake into 2 halves. Pour orange juice on both pieces to moisten cake.

3. Microwave 4 cups pineapple pieces with powdered sugar for 8 minutes or till it boils. Stir after a boil. Microwave for another 4-5 minutes. Let it turn cold. Puree in a mixer.

4. Remove ½ of the puree in a bowl. Add hung curd to it and mix well.

5. To the left over puree in the mixer, add paneer, churn till very smooth. Remove from blender to the bowl. Mix well with the curd - pineapple mixture. Add more sugar as needed.

6. Spread 2 tbsp pineapple topping on one piece of cake placed on the serving platter. Spread 1 cup finely chopped pineapple. Spread some topping on the other cake piece and invert on the first piece. Press.

7. Cover cake with left over topping.

8. Cut orange segments into half lengthwise and arrange at the bottom. Decorate with almonds.

व्यक्तिः 12

सामग्री

2 अण्डे से बना हुआ वनीला केक, पेज 151

1 कप ऑरेंज जूस – केक भिगोने के लिए

5 कप ताज़ा कटा हुआ पाईनऐपल

8 बड़े च. पिसी चीनी

1 कप बारीक कद्दूकस किया हुआ पनीर (100 ग्राम)

3 कप दही – 30 मिनिट के लिए बाँधकर लटका दें

1 संतरा और 5-6 बादाम – सजाने के लिए

विधि

1. पेज 151 पर दी गई वनीला केक की विधि अनुसार केक तैयार करे। केक के घोल को ग्लॉस बाउल में डालकर 4 मिनिट के लिए माईक्रोवेव करें। ठण्डा करें।

2. केक को 2 भागों में काट लें। दोनों पीसों के ऊपर ऑरेंज जूस डालकर थोड़ा गीला कर दें।

3. 4 कप कटे हुए पाईनऐपल और पिसी हुई चीनी को 8 मिनिट के लिए या उबाल आने तक माईक्रोवेव करें। उबाल आने के बाद चलायें। 4-5 मिनिट के लिए और माईक्रोवेव करें। ठण्डा होने पर मिक्सी में प्यूरी करें।

4. आधी प्यूरी बाउल में निकालें। उसमें दही मिला दें।

5. मिक्सी में पड़ी प्यूरी में पनीर मिलाकर बहुत अच्छे से चलाकर चिकना कर लें। मिक्सी से निकाल कर बाउल में पड़ी दही-पाईनऐपल में मिला दें। अगर मीठा कम लगे तो और चीनी मिला दें।

6. 1 केक का पीस सर्विंग प्लेट में रखें। इसके ऊपर 2 बड़े च. पाईनऐपल टॉपिंग लगायें। 1 कप बारीक कटा हुआ पाईनऐपल फैलायें। थोड़ी सी टॉपिंग दूसरे केक पीस पर फैलाकर, यह केक पहले केक पीस पर रख दें। दबा दें।

7. केक को बची हुई टॉपिंग से ढ़क दें।

8. संतरे की फाँक को आधा लम्बाई में काटें और नीचे के भाग पर लगायें। बादाम से सजायें।

Chocolate Ruffle

Rich chocolate icing over a chocolate cake.

Serves 6-8

INGREDIENTS

CHOCOLATE CAKE - PAGE 151 OR 156

CHOCOLATE RUFFLES

½ cup yellow butter - softened

1 cup icing sugar - sifted

½ cup cocoa, 2-3 tbsp hot water

TO SOAK

1 cup mixed fruit juice or orange juice

GARNISH

10-15 almonds - blanched & split

METHOD

❶ Prepare a chocolate cake batter with or without eggs as given on page 151 or 156. Put the batter in a ring mould and bake in the oven (convection mode) for 30-40 minutes at 160°C.

❷ After the cake cools, remove from tin and slice into 2 round halves. Soak cut surface of both pieces with orange juice. Keep aside.

❸ For the ruffle icing, put cocoa in a bowl. Pour hot water on it and mix well to get a dark paste. Add butter and mix well. Add sifted icing sugar and beat well with a beater for 2-3 minutes till the icing is fluffy.

❹ Place one piece of the cake in a serving platter. Spread 2 tbsp icing on it and invert the second piece of cake on it. Spread the left over icing on the cake and keep in the fridge to set for 15 minutes.

❺ Draw lines with a fork, starting from the bottom of the cake till the top to give it a ruffled look. Decorate with a row of almonds. Keep in the fridge till the time of serving. Serve with vanilla ice cream if you like.

व्यक्तिः 6-8

सामग्री

चॉकलेट केक – पेज 151 या 156

चॉकलेट रफल

½ कप पीला मक्खन

1 कप आईसिंग शुगर – छान लें

½ कप कोको, 2-3 बड़े च. गरम पानी

भिगोने के लिए

1 कप मिक्स् फ्रूट जूस या ऑरेंज जूस

सजाने के लिए – 10-15 बादाम

विधि

❶ चॉकलेट केक का घोल अण्डे या बिना अण्डे के साथ, पेज 151 या 156 के अनुसार तैयार करें। घोल को रिंग वाले गोल साँचे में डालें और ऑवन में कॉनवेक्शन मोड पर 30-40 मिनिट के लिए 160°C पर बेक करें।

❷ केक ठण्डा होने के बाद केक टिन से निकालें और 2 गोल स्लाईस में काट लें। कटे हुए दोनों पीसों को ऑरेंज जूस में भिगोएँ। अलग रखें।

❸ रफल आईसिंग के लिए कोको को बाउल में रखें। गरम पानी डालकर डार्क पेस्ट बना लें। मक्खन डालें और अच्छे से मिलायें। छनी हुई आईसिंग शुगर डालें और अच्छे से 2-3 मिनिट के लिए फेंट कर आईसिंग तैयार कर लें।

❹ केक का 1 पीस सर्विंग प्लेट पर रखें। इस पर 2 बड़े च. आईसिंग फैलाकर दूसरा पीस केक का ऊपर रख दें। बची हुई आईसिंग केक पर फैला दें और 15 मिनिट के लिए फ्रीज में रखें।

❺ काँटे से केक के नीचे से लेकर ऊपर तक लाईनें बनायें और रफल लुक दें। बादाम से सजायें। परोसने के समय तक फ्रीज में रखें। यदि आप पसंद करते हैं तो वनीला आईसक्रीम के साथ परोसें।